鼻アレルギー

診療ガイドライン

―通年性鼻炎と花粉症―

2024年版 改訂第10版

Practical Guideline for the Management of Allergic Rhinitis in Japan〈PG-MARJ〉

日本耳鼻咽喉科免疫アレルギー感染症学会
鼻アレルギー診療ガイドライン作成委員会 | 編
Japan Society of Immunology, Allergology and Infection
in Otorhinolaryngology

金原出版株式会社

鼻アレルギー診療ガイドライン作成委員会
日本耳鼻咽喉科免疫アレルギー感染症学会
2024年版（改訂第10版）

序─2024年版(改訂第10版)発行に際して─

　1993年，平成5年3月に開催された第5回日本アレルギー学会春季臨床大会(牧野荘平先生)の時に成人気管支喘息，小児気管支喘息，アレルギー性鼻炎，アトピー性皮膚炎の4疾患の治療ガイドラインを提案する特別シンポジウムが開催された。故奥田稔先生，故石川哮先生が1992年に『Clinical and Experimental Allergy 22(Suppl.1)』に発表された「International consensus report on the diagnosis and management of asthma」を参考に原文を作成し，この特別シンポジウムの中で「鼻アレルギー診療ガイドライン」の発表が行われた。執筆者に故大山勝先生，今野昭義先生，故馬場廣太郎先生，馬場駿吉先生，故茂木五郎先生らが加わり，1993年6月日本アレルギー学会の内科，小児科，耳鼻咽喉科，皮膚科の合本「アレルギー疾患治療ガイドライン」中で「鼻アレルギー(含花粉症)の診断と治療」として発表された。このアレルギー疾患治療ガイドラインの61ページから74ページとわずか14ページが，後の「鼻アレルギー診療ガイドライン」の始まりであった。編集主幹は恩師である故奥田稔先生，故馬場廣太郎先生，その後私に委ねられた。

　私が担当を始めた改訂第5版2005年版から海外より導入されたevidence based medicine(EBM)の影響を受け，最も新しいエビデンス集(改訂第4版より)が巻末のCD-ROMに追加され，現在でもこのエビデンスの追加作業を続けている。また2013年の改訂第7版からはClinical Question & Answer(CQ&A)を簡略化した実際の臨床での質問項目について，エビデンスを参考に記載している。しかし実際のCQ&Aを中心にしたガイドラインではないので，エビデンス，推奨度などを複数のレビューワーで評価をしたものではない。あくまでも治療の参考になるように本文との整合性を考慮し作成した。

　日本ではQOLの概念や，費用便益まで含まれたWHO作成のARIAのようなガイドラインは新しいものである。この2つはこれからの日本の医療には必要な因子であり，この部分においては日本も追随しなければならない。一方，国際的なガイドラインはそれぞれの国の医療事情によっていないため，不適切な部分も生じることは否めない。日本における鼻アレルギー診療の現状を考慮しつつ改訂を重ねている「鼻アレルギー診療ガイドライン」が，現状としてはわが国のガイドラインとして最も適していると考えられる。

　しかし時代の趨勢であるGRADE方式への変更を，次の改訂版から行っていくという学会方針も決まり，今後さらに新しいガイドラインが，臨床医の役に立つことを期待している。これまで改訂第10版まで出版をしていただいた(株)ライフ・サイエンスが2024年1月に残念であるが，廃業を決められた。改訂第11版からは「鼻アレルギー診療ガイドライン」が，全く新たな形をもってさらに進化することを期待して序文とさせていただく。

令和6年1月

作成委員一同

（文責：日本医科大学大学院医学研究科頭頸部・感覚器科学分野教授　大久保公裕）

序 —2020年版(改訂第9版)発行に際して—

　この『鼻アレルギー診療ガイドライン』は1993年の初版から数え，改訂第9版となる。1993年第5回日本アレルギー学会春季臨床大会の特別シンポジウムをきっかけに，日本医科大学名誉教授の故奥田稔先生と熊本大学名誉教授の故石川哮先生を中心として，1995年には改訂第2版としてまとめ上げた。権威的にならぬよう学会からの出版ではなく，独自のガイドライン作成委員会を結成しての出版であった。長きにわたりこの形式を踏襲してきたが，医療をめぐる社会情勢の変化から，現在ガイドラインは学会主導であることが望ましいと考え，この改訂第9版は日本耳鼻咽喉科免疫アレルギー学会のガイドライン作成委員会で作成した。日本耳鼻咽喉科免疫アレルギー学会は2021年より日本耳鼻咽喉科感染症エアロゾル学会と併合し，日本耳鼻咽喉科免疫アレルギー感染症学会となるので，このガイドラインも次改訂版より日本耳鼻咽喉科免疫アレルギー感染症学会からの提言ガイドラインとなる。

　今回の改訂にあたっては，日本耳鼻咽喉科免疫アレルギー学会のガイドライン作成委員会の先生方によるエビデンスの追加，修正などの方向性を確認して最新版とし，学会ホームページ上でのパブリックコメントの収集も行った。ただし基本方針は以前からの「ガイドラインは個々の患者に対する治療上の"参考"となることを期待して作成したものであり，治療法を"規定"するものではない」とした。

　変遷を重ねてきた『鼻アレルギー診療ガイドライン』は，以前より掲げてきたプライマリケアの立場からも診療科を越えたわかりやすいガイドラインを目指しており，メタアナリシスを中心にまとめられたGRADE方式とは異なっている。もちろんGRADEを否定するものではなく，本書でもQ&Aを最新のエビデンスに基づきまとめてある。また鼻アレルギー診療におけるエビデンスの質，そして推奨度は2019年までの論文をまとめ，Webサイトで確認できるようになっているので，参考になれば幸いである。

　なお当ガイドラインは，製薬企業などからの資金提供は受けていないことを申し添える。

　令和2年6月

作成委員一同
（文責：日本耳鼻咽喉科免疫アレルギー学会理事長　大久保公裕）

序—2016年版(改訂第8版)発行に際して—

この『鼻アレルギー診療ガイドライン』は1993年の初版より22年経過した長く続く診療ガイドラインで,今回改訂第8版となる。耳鼻咽喉科領域でも急性鼻副鼻腔炎,嚥下障害,小児急性中耳炎,小児滲出性中耳炎のガイドラインが出版され,徐々に多くなってきている。もちろん耳鼻咽喉科領域以外にも多くのガイドラインがあり,プライマリケアの立場からはよりわかりやすいガイドラインが求められている。多くのガイドラインがQ&A方式の治療法の推奨を行っているが,本ガイドラインでは当初よりこれを主体にせず,治療の一助となるわかりやすい解説を基本として構成し,今回の改訂でもこれを踏襲している。しかし決して教科書ではなく,治療のためのガイドラインであり,前回より一部はQ&A方式を取り上げ,エビデンスを基に解説している。これまで治療法に関する推奨度に関しては本文中では取り扱わず,巻末付録のCD-ROMにあるエビデンス集にまとめる作業を1999年より行ってきた。この改訂版では,CD-ROMからインターネット上のWebサイトへ移行し,前回からの新しいエビデンスを収集して最新エビデンス集にした。

今回の改訂に当たっては新しい治療法も取り上げ,実際の診療で行われ始めた舌下免疫療法にもエビデンスからその治療方法,アウトカムまで記載されている。また治療法の選択では前回まで取り上げられていなかった経口配合剤についても,その適応,使用方法に言及し,薬剤選択の基準を表にまとめてある。内容の改訂に当たっては各章間の用語の統一などでわかりやすく改訂したつもりであり,読んでいただく先生方にご批評いただければと思っている。ただし基本方針は過去のガイドラインを受け継ぎ,過去の序文にあるように「ガイドラインは個々の患者に対する治療上の"参考"となることを期待して作成したものであり,治療法を"規定"するものではない」とする。

なお,本ガイドラインは第1版からこの改訂第8版まで製薬企業からの資金提供は受けていないことを申し添える。

平成27年10月

編集委員一同
(文責:大久保公裕)

序—2013年版(改訂第7版)発行に際して—

　鼻アレルギー診療ガイドラインは初版が出版された1993年から19年経つ，他の領域のガイドラインと比較しても古くからあるガイドラインである。今回改訂第7版を出版することができた。本書でも奥田先生が第3版で書かれた6個の配慮，馬場先生が第6版で書かれた3つの目的は本書の基礎として第7版でも生きており，これからも踏襲していきたいと思う。

　本書では前述のように従来からの目的である活用できるガイドラインを目指し，いろいろな先生方のご意見を頂戴し，これを使用して治療する際の疑問点だと思われるいくつかの問題点をClinical Question & Answer(CQA)として取り上げ，エビデンスを元に解説してある。他の疾患ガイドラインでCQAとして取り上げられているようないわゆる推奨ではなく，治療を行っていくうえでの参考として記載してある。しかし参考文献がつけられているので，実際のエビデンスを知りたい場合にはこれを検索していただきたい。このCQAも本来の本書の目的である鼻アレルギー治療の参考，一助となるようなガイドラインの一つの形であると思っている。

　近年，鼻アレルギー診療においていくつかのトピックスがある。その一つに舌下免疫療法がある。すでにスギ花粉症に対しては治験が終了しているが，現段階では治験結果の公表がなく，本書作成段階ではガイドラインに十分にその使用方法，治療効果などを入れることはできなかった。舌下免疫療法は国際的には評価されているものの，日本におけるガイドラインとしてはエビデンスだけでなく，その使用方法にも言及しなければならず，最低限の日本でわかっていることの記載のみとした。また診断に関しては特異的IgE検査の種類が増えたこと，抗原分析が進んだことがあるが，これも食物アレルギーが主体で，まだ日本では鼻アレルギーにとっては十分なデータがない。これらはいずれも第8版までには日本でも十分な結果が出るものと考え，取り上げていきたいと考える。

　国際的，国内的なエビデンスについては付録のCD-ROMのエビデンス集をご覧いただければ新しい文献が追加され，推奨度などの評価も記載されている。十分にご活用いただきたく思う。このガイドラインが先生方の治療法選択の一助になり，鼻アレルギー患者さんのQOL向上に寄与できれば幸いである。よりよいガイドラインを作成するため，多くのご意見を頂戴いただきたい。

　なお当ガイドラインは，製薬企業などからの資金提供は受けていないことを申し添える。

　最後に鼻アレルギー診療ガイドライン改訂第7版作成にあたり，ご尽力をされた故石川　哮熊本大学名誉教授，故馬場廣太郎獨協医科大学名誉教授に本書を捧げたい。

平成24年12月

編集委員一同

(文責：大久保公裕)

序 ─2009年版(改訂第6版)発刊に際して─

　鼻アレルギー診療ガイドラインは，1993年が初版ですから15年の歴史をかぞえ，このたび
"改訂第6版"出版の運びとなりました。医学，医療，薬学などの進歩に即応したものであり，
エビデンスに基づいた改訂であるのは当然です。また，諸先生からいただいたご意見にも対応
してきたつもりであります。したがって，改訂のたびに内容は，時代の流れに沿って新しく
なっておりますが，編集の方針や理念は初版以来まったく変えておりません。

　＊ガイドラインは，専門家が納得できる内容でなければならず，同時に非専門家の理解が容
　　易でなければなりません。対象は広く考えています。

　＊ガイドラインは，治療法を強制するものではなく，個々の患者さんの診療上の参考となる
　　ことを目標とします。

　＊ガイドラインは，エビデンスに基づいて作られるのは当然ですが，EBMの弱点を補う知恵
　　を持ち合わせていなければなりません。

　これらの基本理念に加えて，わかりやすいこと，使いやすいこと，誤解を生じないようにす
ること，混乱を招かないようにすることなどが編集方針となります。文献至上主義がEBMと理
解され，EBMがガイドラインそのものという誤解の中で，われわれの鼻アレルギー診療ガイド
ラインが当初の編集方針と理念を守ってこられたことを誇りに思っております。

　文献を詳しく知りたい場合は，付録CD-ROMのエビデンス集をご覧いただければ新しい文献
が収集されて批判的吟味も加えられています。このエビデンス集と図表全てを網羅したスライ
ド集をCD-ROMの付録としたことも特徴のひとつであり，ご活用いただければ幸いです。

　このガイドラインが多くの患者さんのQOLに寄与することを願い，今後より良いものにする
ためにご意見をいただきますよう，お願いいたします。

　平成20年 秋 吉日

編集委員一同

（文責：馬場廣太郎）

序—2005年版(改訂第5版)発刊に際して—

　数多くの疾患に対するガイドラインが作成されるに至り，当然ながら，数多くのガイドラインが出揃い，ガイドラインの評価が学問として成立することにまでなりそうである。プライマリケアを行う先生方には数多くのガイドラインが必要になり，使い易さが一層求められることになる。王道であるべきガイドラインが覇道の趣を呈するの観がある。いずれにしても，社会的側面に配慮が必要であることは確かであり，その卑近な例が保険診療や薬剤治験であるが，これらを無視してガイドライン作りはできない。

　改訂にあたっては，新しい知見を盛り込むと同時に，それが正確な情報であるかどうかの吟味を十分にしたつもりである。また，使い易さの追究から生じる過不足についても検討の重点であった。すなわち，ガイドラインのみですべての治療が可能であるかという問題で，その要望も多いのである。しかし，手術療法を考えれば明らかなように，解剖書も手術書もなしにこれを行うことはあり得ないのである。

　本邦におけるEBMに適う論文の少ないことも，いつもながらの問題であったが，一方，EBMイコールガイドラインという安直な考え方の蔓延にも疑問が生じるところである。本来EBMは，個々の患者に対する問題点を自分で抽出して，医学的に利用可能な最善のエビデンスを自分で論文を吟味することによって，目の前の患者に適応する医学である。したがって，EBMはいわばテーラーメイドの医療であるのに対し，ある程度画一化せざるを得ないガイドラインは，レディメイドの医療と考えなければならず，相反する方向性とも考えられる。また，EBMに適った論文がない場合，その他の論文から優れたものを紹介することもガイドライン作りに携わる者としての務めでもある。

　ガイドラインは利用者の評価を受けなければならない。利用者は購入者となろうが，それ以外にも医師会，学会，利用者の患者である国民からの評価も受けて，より良いものに成長しなければならない。その方法については情報化，IT化社会の中で考え得るものはたくさんあるが，ガイドラインの周知方法とも関連しており，最良で公平な方法を確立しなければならない。まずは，巻末のアンケートの回答にご協力いただけるようお願いする次第である。

　平成17年9月

編集委員一同
（文責：馬場廣太郎）

序 ─2002年版(改訂第4版)発刊に際して─

　鼻アレルギー診療ガイドラインは"鼻アレルギー(含花粉症)の診断と治療"として1993年に初版が発刊され,1995年の改訂を経て,1999年の改訂第3版は"鼻アレルギー診療ガイドライン─通年性鼻炎と花粉症─"に改題された。今回の改訂では,EBMに基づいた診療ガイドライン作成を目標とし,編集委員のほか,厚生労働省「アレルギー性鼻炎の科学的根拠に基づく医療(Evidence-based Medicine)によるガイドライン策定に関する研究」の研究班員の先生方に,分担項目ごとにEBM的検討を加えていただいた。その結果,本書の内容の的確性を検証することになったため,構成,方向性は1999年の改訂版に準じて,最小限の修正と最新のデータを加えて発刊することとした。また,EBM資料・文献等の膨大な資料はCD-ROMにまとめて,巻末に収載して参考に供する。

　EBMは本来,目前の患者のために文献を収集,批判的吟味を加えたうえで適応するものである。これをガイドライン作成に応用しようとすると画一的となり,文献も推奨と勧告が強く得られるものはrandomized controlled study(RCS)に限られてくる。本邦にはRCSを容易に行いうる文化的基盤に乏しく,優れた多数の論文があるにも拘わらず,ガイドライン作成の全てにEBMを網羅することは困難である。

　そのような事情から,本書も前3版の精神と基本方針を受け継ぐことになる。それぞれの「序」に記載されている"ガイドラインは個々の患者に対する「参考」となることを期待して作られたもので,治療法を「規定」するものではない"は,最も大切な方向性の継承と考える。

平成14年3月

編集委員一同
(文責:馬場廣太郎)

序—改訂第3版発刊に際して—

　本書の初版が1993年に出版され，1995年の改訂を経て，4年後，今回改訂第3版を刊行することになった。この間いくつかの学会のシンポジウムやワークショップ，特別の会合で，大学や病院関係はもちろん，診療所の実地医家の意見も広く求め，得られたものを参考に，本書は改訂された。

　この改訂版にはいくつかの配慮が払われている。

　1．本書の対象は，アレルギーの診療経験はあってもアレルギー性鼻炎については十分でない耳鼻咽喉科以外のアレルギー専門医や一般医師，または耳鼻咽喉科医であってもアレルギー性鼻炎の診療に熟達していない方々，さらにアレルギー性鼻炎の専門家である。

　2．ガイドラインの作成は世界的の傾向であり，医療に限らず標準化を求める社会的志向の現れである。ガイドラインはあくまでもガイドラインで均一化を強制するものであってはならない。本書は治療上の参考になることを目的に作られたもので，治療法を規制するものではない。

　診療施設を訪れる患者の病状の程度，性格は多様であり，それに応じた治療法がある。

　3．evidence-based medicineは一つの流れである。本書に類する他疾患のガイドラインでは，国内的にも国際的にも文献主義が強調されている。しかし文献になりにくい，結論の一致しないものでも貴重な知見も少なくないし，文献にこだわりすぎると古今の説のレビューになり，かえって読者を混乱させることになる。この改訂版の記述はできるだけ科学的根拠に基づき，文献に基づくように努めたが，文献万能の得失にも考慮した。

　引用文献は入手と理解の便のため，できるだけ和文の雑誌の論文とした。これらはすべてが代表的なものともいえないので，次版で検討の予定である。

　4．本書は利用者の便のため，前版より図表を増やし，まとまった情報の提供を目ざした。

　5．本書は日本の保険診療を前提とした。一方国際的な，また喘息やアトピー性皮膚炎など同類のガイドラインとの整合性を保つよう配慮した。臨床的慣用も無視し得ないと考えた。

　6．基礎的な事項はアレルギー性鼻炎実地診療に必要な限度にとどめた。基礎・臨床を問わず未だ証明の十分に明らかでない仮説はできるだけ採用しなかった。

平成11年5月

鼻アレルギー診療ガイドライン作成委員一同

序

　この鼻アレルギー治療のガイドラインは第5回日本アレルギー学会春季臨床大会特別シンポジウム「アレルギー疾患治療ガイドライン」の一部として，牧野荘平会長の要請により作られたものである。"International Consensus Report on Diagnosis and Management of Asthma"がClinical and Experimental Allergy, Vol.22, Suppl. 1, 1992に掲載されたので，これを参考に，奥田稔，石川哮が案文を作り，前記作成委員により検討され，作成されたものである。

　なお，このガイドラインが個々の患者に対する治療上「参考」となることを期待して作られたもので，治療法を「規定」するものではないことを付記する。

平成5年6月
日本医科大学名誉教授
日本臨床アレルギー研究所顧問
奥田　　稔

序—改訂第2版発刊に際して—

　この鼻アレルギー治療のガイドラインは第5回日本アレルギー学会春季臨床大会特別シンポジウム「アレルギー疾患治療ガイドライン」の一部として作られたものである。"International Consensus Report on Diagnosis and Management of Asthma"がClinical and Experimental Allergy, Vol.22, Suppl.1, 1992 に掲載されたので，これを参考に，奥田稔，石川哮が案文を作り，前記作成委員により検討，作成され，1993年6月に第一版が発行されたが，その後諸家の意見，鼻炎診断・治療の国際ガイドライン（International Consensus Report on the Diagnosis and Management of Rhinitis, 1994）を参考として改訂されたものである。本ガイドラインは学会認定医，鼻アレルギーを専門としない実地医家まで広く対象として記述されている。

　さらに本ガイドラインは個々の患者に対する治療上「参考」となることを期待して作られたもので，治療法を「規定」するものではないことを付記する。

平成6年11月
日本医科大学名誉教授
日本臨床アレルギー研究所顧問
奥田　　稔

目　次

鼻アレルギー診療ガイドライン
——通年性鼻炎と花粉症——

歴代編集委員一覧 <small>（職責は当時のまま）</small>

第5回日本アレルギー学会春季臨床大会特別シンポジウム
アレルギー疾患治療ガイドライン耳鼻咽喉科作成委員（1993年）

石川　　哮	熊本大学医学部耳鼻咽喉科教授
大山　　勝	鹿児島大学医学部耳鼻咽喉科教授
奥田　　稔	日本医科大学名誉教授・日本臨床アレルギー研究所顧問
今野　昭義	千葉大学医学部耳鼻咽喉科助教授
馬場廣太郎	獨協医科大学医学部耳鼻咽喉科教授
馬場　駿吉	名古屋市立大学医学部耳鼻咽喉科教授
茂木　五郎	大分医科大学耳鼻咽喉科教授

日本アレルギー学会
アレルギー疾患治療ガイドライン耳鼻咽喉科作成委員
（95年改訂版）

石川　　哮	熊本大学医学部耳鼻咽喉科教授
大山　　勝	鹿児島大学医学部耳鼻咽喉科教授
奥田　　稔	日本医科大学名誉教授・日本臨床アレルギー研究所顧問
今野　昭義	千葉大学医学部耳鼻咽喉科教授
高坂　知節	東北大学医学部耳鼻咽喉科教授
馬場廣太郎	獨協医科大学医学部耳鼻咽喉科教授
馬場　駿吉	名古屋市立大学医学部耳鼻咽喉科教授
茂木　五郎	大分医科大学耳鼻咽喉科教授

鼻アレルギー診療ガイドライン作成委員
改訂第3版（1999）

石川　　哮	熊本大学名誉教授
大山　　勝	鹿児島大学名誉教授
奥田　　稔*	日本医科大学名誉教授
今野　昭義	千葉大学医学部耳鼻咽喉科教授
坂倉　康夫	三重大学名誉教授
高坂　知節	東北大学医学部耳鼻咽喉科教授
馬場廣太郎	獨協医科大学医学部耳鼻咽喉科気管食道科教授
馬場　駿吉	名古屋市立大学名誉教授
茂木　五郎	大分医科大学副学長
	*委員長

鼻アレルギー診療ガイドライン作成委員
2002年版（改訂第4版）

編集顧問
奥田　　稔　　日本医科大学名誉教授

編集委員(*代表)
馬場廣太郎*　獨協医科大学医学部耳鼻咽喉科気管食道科教授
今野　昭義　　㈶脳神経疾患研究所附属総合南東北病院アレルギー・頭頸部センター所長
竹中　　洋　　大阪医科大学耳鼻咽喉科教授

編集協力委員
市村　恵一　　自治医科大学耳鼻咽喉科教授
榎本　雅夫　　日本赤十字社和歌山医療センター耳鼻咽喉科部長
大久保公裕　　日本医科大学耳鼻咽喉科助教授
岡本　美孝　　山梨医科大学耳鼻咽喉科教授
川内　秀之　　島根医科大学耳鼻咽喉科教授
黒野　祐一　　鹿児島大学医学部耳鼻咽喉科教授
洲崎　春海　　昭和大学医学部耳鼻咽喉科教授
増山　敬祐　　熊本大学医学部耳鼻咽喉科助教授

鼻アレルギー診療ガイドライン作成委員
2005年版（改訂第5版）

編集顧問
奥田　　稔　　日本医科大学名誉教授

編集委員(*代表)
馬場廣太郎*　獨協医科大学医学部耳鼻咽喉科気管食道科学教室教授
今野　昭義　　㈶脳神経疾患研究所附属総合南東北病院アレルギー・頭頸部センター所長
竹中　　洋　　大阪医科大学耳鼻咽喉科学教室教授

編集協力委員
市村　恵一　　自治医科大学耳鼻咽喉科学教室教授
榎本　雅夫　　日本赤十字社和歌山医療センター耳鼻咽喉科部長
大久保公裕　　日本医科大学耳鼻咽喉科学教室助教授
岡本　美孝　　千葉大学大学院医学研究院耳鼻咽喉科・頭頸部腫瘍学教室教授
川内　秀之　　島根大学医学部耳鼻咽喉科学教室教授
黒野　祐一　　鹿児島大学大学院医歯学総合研究科聴覚頭頸部疾患学教授
洲崎　春海　　昭和大学医学部耳鼻咽喉科学教室教授
増山　敬祐　　山梨大学大学院医学工学総合研究部耳鼻咽喉科・頭頸部外科学教室教授

執筆協力
岸川　禮子　　国立病院機構福岡病院アレルギー科医長
上川雄一郎　　獨協医科大学薬理学教室教授

鼻アレルギー診療ガイドライン作成委員
2013年版（改訂第7版）

鼻アレルギー診療ガイドライン作成委員
2016年版(改訂第8版)

評価委員(＊代表)

奥田　　稔＊	日本医科大学名誉教授	
今野　昭義	㈶脳神経疾患研究所附属総合南東北病院アレルギー・頭頸部センター所長	
竹中　　洋	大阪医科大学名誉教授	
岸川　禮子	国立病院機構福岡病院アレルギー科医長	
小田嶋　博	国立病院機構福岡病院副院長	

編集委員(＊代表，＊＊副代表)

大久保公裕＊	日本医科大学大学院医学研究科頭頸部・感覚器科学分野教授
黒野　祐一＊＊	鹿児島大学大学院耳鼻咽喉科・頭頸部外科学教授
市村　恵一	自治医科大学名誉教授
榎本　雅夫	鳥取大学医学部客員教授
岡本　美孝	千葉大学大学院医学研究院耳鼻咽喉科・頭頸部腫瘍学教室教授
川内　秀之	島根大学医学部耳鼻咽喉科学教室教授
洲崎　春海	総合東京病院鼻副鼻腔・アレルギー疾患研究所所長
藤枝　重治	福井大学医学部耳鼻咽喉科・頭頸部外科学教授
増山　敬祐	山梨大学大学院総合研究部耳鼻咽喉科・頭頸部外科学講座教授

編集協力委員

木津　純子	慶應義塾大学薬学部実務薬学講座教授

事務局

後藤　　穣	日本医科大学多摩永山病院耳鼻咽喉科教授

日本耳鼻咽喉科免疫アレルギー感染症学会
鼻アレルギー診療ガイドライン作成委員会
2020年版（改訂第9版）

評価委員

岡本　美孝	千葉労災病院病院長
川内　秀之	島根大学名誉教授
黒野　祐一	鹿児島大学耳鼻咽喉科・頭頸部外科学名誉教授
増山　敬祐	諏訪中央病院耳鼻咽喉科部長

作成委員（*委員長，**副委員長）

朝子　幹也	関西医科大学総合医療センター耳鼻咽喉科・頭頸部外科病院教授
大久保公裕**	日本医科大学大学院医学研究科頭頸部・感覚器科学分野教授
太田　伸男	東北医科薬科大学耳鼻咽喉科学教授
岡野　光博*	国際医療福祉大学大学院医学研究科耳鼻咽喉科学教授
上條　篤	埼玉医科大学病院耳鼻咽喉科・アレルギーセンター教授
後藤　穣	日本医科大学大学院医学研究科頭頸部・感覚器科学分野准教授
坂下　雅文	福井大学医学部耳鼻咽喉科・頭頸部外科学講師
櫻井　大樹	山梨大学大学院医学工学総合研究部耳鼻咽喉科・頭頸部外科学教授
寺田　哲也	大阪医科大学耳鼻咽喉科・頭頸部外科学准教授
中丸　裕爾	北海道大学大学院医学研究院耳鼻咽喉科・頭頸部外科学准教授
山田武千代	秋田大学大学院医学系研究科耳鼻咽喉科・頭頸部外科学教授
米倉　修二	千葉大学大学院医学研究院耳鼻咽喉科・頭頸部腫瘍学准教授

作成協力委員

岸川　禮子	国立病院機構福岡病院アレルギー科医長
木津　純子	特定非営利活動法人薬学共用試験センター顧問
藤枝　重治	福井大学医学部耳鼻咽喉科・頭頸部外科学教授
松原　篤	弘前大学大学院医学研究科耳鼻咽喉科学教授（疫学調査委員会委員長）

（五十音順）

第1章

定義・分類

Definition and Classification

第1章 定義・分類

Definition and Classification

　アレルギー性鼻炎の診断・治療に当たり，まず疾患概念を決め，対象を明らかにする必要がある。本症は鼻炎に属し，鼻炎には類似の症状を有する疾患が多数あるためである。

Ⅰ・定義と病名（Definition and Nomenclature）

　アレルギー性鼻炎（allergic rhinitis）は鼻粘膜のⅠ型アレルギー性疾患で，原則的には発作性反復性のくしゃみ，鼻漏（水様性），鼻閉を3主徴とする。

　Ⅰ型アレルギー性疾患なので，アレルギー素因（アレルギーの既往歴，合併症，家族歴）をしばしばもち，血清特異的IgEレベルの上昇，局所マスト細胞，および局所と血液の好酸球の増加，粘膜の非特異的過敏性亢進などの特徴をもつ。

　なお病名として，鼻過敏症（hyperesthetic rhinitis），鼻アレルギー（nasal allergy），アレルギー性鼻炎，さらに花粉症（pollinosis）などが用いられている。鼻過敏症は特異的および非特異的過敏性反応を示す疾患を意味し，包含する範囲が広い。鼻アレルギーは鼻腔ばかりか副鼻腔のアレルギーを含み，アレルギー性鼻炎よりやや広く，融通性をもちしばしば書物のタイトルに使われている。アレルギー性鼻炎は論文で最も多く使われ，通年性アレルギー性鼻炎（perennial allergic rhinitis）と季節性アレルギー性鼻炎（seasonal allergic rhinitis）に分けられる。花粉症または枯草熱（hay fever）は花粉抗原による季節性アレルギー性鼻炎であるが，アレルギー性結膜炎（allergic conjunctivitis）を高頻度に合併している。それぞれの病名はほぼ同義語ともいうべきだが，それぞれ多少のニュアンスの相違がある。本書ではタイトルに鼻アレルギーを用い，疾患名には保険診療で用いられているアレルギー性鼻炎を使うこととする。皮膚テストや血清特異的IgE検査で陰性でも，鼻粘膜局所で微量のIgEが産生され，局所反応を起こすlocal allergic rhinitis（LAR）という新しい疾患概念も提唱されている。一部のLARの患者は将来的にアレルギー性鼻炎への進展や気管支喘息の合併などが報告されており，早期の治療介入の必要性が指摘されている。

参考文献
1）石川　哮：IgEについて．耳鼻　1973；**19**：675-685.
2）今野昭義ほか：鼻粘膜過敏性の新しい考え方．JOHNS　1998；**14**：171-178.
3）奥田　稔：鼻アレルギー（第2版）．pp.16-21，医薬ジャーナル社，大阪，2005.
4）Hoang MP, et al.：Allergen-specific immunotherapy for local allergic rhinitis：a systematic review and meta-analysis. Rhinology　2022；**60**：11-19.
5）松根彰志：Local Allergic Rhinitisの診療・病態上の意義と課題．耳鼻臨床　2020；**113**：529-535.
6）Zhu W, et al.：Efficacy and safety of subcutaneous immunotherapy for local allergic rhinitis：a meta-analysis of randomized controlled trials. Am J Rhinol Allergy　2022；**36**：245-252.
7）Terada T, et al.：Diagnosis and treatment of local allergic rhinitis. Pathogens　2022；**11**：80.

表1　鼻炎の分類

①感染性 　　a)急性鼻炎，b)慢性鼻炎，c)ウイルス性，d)細菌性，e)その他
②アレルギー性 　　a)通年性アレルギー性鼻炎，b)季節性アレルギー性鼻炎，c)local allergic rhinitis(LAR)， 　　d)職業性アレルギー性鼻炎
③非アレルギー性 　　a)血管運動性鼻炎，b)好酸球増多性鼻炎，c)薬物性鼻炎，d)職業性非アレルギー性鼻炎， 　　e)老人性鼻炎，f)味覚性鼻炎，g)萎縮性鼻炎，h)妊娠性鼻炎，i)その他

(鼻アレルギー診療ガイドライン2024)

Ⅱ・鼻炎の分類（Classification）

　鼻炎は広く鼻粘膜の炎症を指す(**表1**)。鼻粘膜の炎症は病理組織学的には滲出性炎症で，その中でも感染性炎症，アレルギー性炎症が多い。いずれも血管からの液性成分の滲出，浮腫，細胞浸潤，分泌亢進を特徴としている。

　このような炎症の定義に入らないが，臨床上鼻炎と呼ばれる多数の疾患がある。いずれも非特異的過敏性(non-specific hypersensitivity)を多少にかかわらず有し，非感染性非アレルギー性過敏性炎症というべきものである。これらはアレルギー，感染などとの鑑別診断を要し，治療上共通点があるので，臨床の慣用と国際的整合性に従って鼻炎の中に入れることとする。

　①感染性はその原因によってウイルス性，細菌性，その他に分けられ，症状の経過から急性鼻炎(いわゆる鼻かぜ)と慢性鼻炎に分類される。篩骨洞，中鼻道を中心に鼻腔に病変をもつ感染性副鼻腔炎(infectious rhinosinusitis)などもこの分類に該当する。

　②アレルギー性は過敏性非感染性鼻炎のうち，くしゃみ・鼻漏型，鼻閉型または充全型で好発時期から通年性と季節性に分かれ，前者の多くは室内塵ダニ(house dust mite)アレルギーで，後者のほとんどは花粉症である。また，皮膚テストや血清特異的IgE検査で陰性でも鼻粘膜局所でのIgEが産生され，局所反応を示すlocal allergic rhinitis(LAR)という疾患も含まれている。

　③非アレルギー性には，a)血管運動性鼻炎，b)好酸球増多性鼻炎，c)薬物性鼻炎，d)職業性鼻炎，e)老人性鼻炎，f)味覚性鼻炎，g)萎縮性鼻炎，h)妊娠性鼻炎がある。

　a)血管運動性鼻炎(vasomotor rhinitis)は鼻粘膜の自律神経異常が主因とされているが，国際分類ではこれが否定され，原因不明という意味で本態性鼻炎(idiopathic rhinitis)と称されている。しかし，本邦では保険病名としても血管運動性鼻炎という表記が用いられている。

　b)好酸球増多性鼻炎ではアレルギーの検査は陰性だが，鼻汁好酸球のみが増加している疾患をいう。証明できないアレルギーの可能性がないわけではない。好酸球増加は鼻茸形成を示す慢性副鼻腔炎でもしばしばみられる。

　c)薬物性鼻炎は交感神経遮断性降圧薬，血管拡張性降圧薬，気管支拡張薬，抗うつ薬，非ステロイド性抗炎症薬(non-steroidal anti-inflammatory drugs：NSAIDs)，避妊薬ピルなどの長期連用により起こる。しかしその中で最も頻度の高いのは，鼻閉に対する点鼻用血管収縮薬の乱

用によるものである。

　d) 職業性鼻炎は職場由来の物質を鼻腔に吸入して発病，発症，増悪する鼻炎であり，職業性アレルギー性鼻炎と職業性非アレルギー性鼻炎に分類される。アレルギー性鼻炎に占める職業性の頻度は0.6〜3％と報告されている。原因は動植物から化学物質に及ぶが，職業性では化学物質による頻度が高い。鼻粘膜誘発試験を組み合わせることが起因性抗原認定の基準となる。治療としては薬物療法が有効であるが，曝露抗原量によっては効果が限定的であり，抗原回避が重要である。しかし，治療の要諦である抗原回避が職場の転換に留まらず，失職に繋がり得ることを認識することがマネージメントの上で重要である。

　e) 高齢者も鼻漏が出やすく，鼻粘膜の萎縮などが原因とされ老人性鼻炎と呼ばれる。

　f) 味覚性鼻炎は刺激性の熱い食物（うどん，ラーメン，カレーライスなど）を摂食中に起こる。神経反射により分泌亢進を来すとされる。

　g) 萎縮性鼻炎（臭鼻症，atrophic rhinitis）や特異性肉芽腫性鼻炎（specific granulomatous rhinitis：結核，梅毒，サルコイドーシスあるいは多発血管炎性肉芽腫症などにより肉芽腫を伴う鼻炎）は現在まれである。

　h) 妊娠性鼻炎は妊娠中期以降に起こり，その発症には女性ホルモン，特にエストロゲンの鼻粘膜血管および自律神経受容体に対する作用が関与するものと考えられる。ホルモン誘発性である鼻炎では甲状腺機能低下が強調されているが症例は少ない。

　i) その他：冷気吸入性鼻炎は寒冷空気吸入による鼻漏が主たる症状で，スキーヤー鼻（skier's nose）として有名である。心因性鼻炎は慢性ストレス，うつ病，神経症などでみられ，鼻閉を主訴とする。寒冷性鼻炎は身体，特に手足の寒冷刺激を介する反射性の鼻粘膜容積血管拡張によるものと考えられる。乾燥性鼻炎（dry nose）は，冬の空気の乾燥と暖房により室内湿度が20％以下になると粘膜乾燥，痂皮形成，鼻出血などの症状が起こり，粘液層の乾燥により鼻乾燥感，鼻閉感を起こす。

参考文献

1）奥田　稔：アレルギー性鼻炎関連疾患．アレルギーの領域　1998；**5**：90-96.
2）高坂知節：アレルギー性鼻炎　定義，診断，分類，疫学．アレルギーの領域　1998；**5**：1485-1490.
3）今野昭義ほか：血管運動性鼻炎，好酸球増多性鼻炎の病態と治療．アレルギーの領域　1998；**5**：33-41.
4）橋口一弘：鼻炎の種類と診断．日医雑誌　1998；**119**：446-450.
5）Meitzer EO, et al.：Developing guidance for clinical trial. J Allergy Clin Immunol　2006；**118**：S17-61.
6）Wallace DV, et al.：The diagnosis and management of rhinitis：an updated practice parameter. J Allergy Clin Immunol　2008；**122**（Suppl. 2）：S1-84.
7）Khan AD：Allergic rhinitis with negative skin tests：Does it exist？ Allergy and Asthma Proceedings　2009；**30**：465-469.
8）Bousquet J, et al.：Next-generation ARIA care pathways for rhinitis and asthma：a model for multimorbid chronic diseases. Clin Transl Allergy 2019；**9**：44.
9）日本アレルギー学会：アレルギー総合ガイドライン2022. 協和企画，東京，2022.

第 2 章

疫学
Epidemiology

第2章

疫学

Epidemiology

　本邦で有病率が高いとされていた副鼻腔炎は1960年頃から減少し，一方で，1960年代後半からアレルギー性鼻炎が増加してきた。当初の増加はダニによる通年性アレルギー性鼻炎であったが，都市部では花粉症の増加が著しく，特にスギ花粉症の有病率の高さは，しばしば社会問題として取り上げられるようになった。しかし，全世界共通で，6～7歳および13～14歳児の花粉症有病率の調査を質問用紙で行っているISAAC(international study of asthma and allergies in childhood)の結果からは，日本は高い有病率群に含まれるものの，世界にはより高率の地域があるため，今後さらに花粉症有病率増加の可能性があると思われる。

　アレルギー性鼻炎増加の原因は不明であるが，抗原量の増加が第一と考えるのが妥当である。アレルギー性疾患におけるチリダニの関与について1964年に初めて報告されて以降，医学，公衆衛生学の分野で住居内のダニ類が脚光を浴びることとなった。大島らにより1964年に日本で最初の室内塵中ダニ類調査が行われたが，その後のダニの増加には日本における住居環境の変遷が関与しているといわれる。1960年代から気密性の高い西洋式建築様式が採用され，新建材，西洋式家具，暖房などが保温，保湿条件を高めてダニの繁殖に好適な条件となった。大掃除，畳干し，虫干しという優れた住居管理の習慣が衰退したことや，共働き，核家族，単身世帯の増加，室内居住時間が長いことなど生活様式の変化とも密接な関係がある。

　ダニによる室内環境の汚染の報告では，寝具中のダニアレルゲンを測定した結果，日本のダニ抗原(Der 1)は14.9(μg/g dust)，米国では1.40，欧州では0.58であり，米国の10倍，欧州の25倍であった。ダニアレルゲン量が2 μg/g dustを超えると感作や鼻炎発症のリスクが大幅に増大し，10μg/g dustを超えると気管支喘息の発症リスクが増大することが報告されていることから，日本の住環境はリスクが高い。ダニの抗原量の増加とその影響は，他のアジアの国々ではさらに顕著である。アレルギー疾患をもつ人のうち，ダニに感作している人の割合は，日本では約30％だが，シンガポールでは70～90％以上，台湾では85～90％と報告された。一方で，ヨーロッパ各国の値を平均すると22％ほどであった。このようなダニによるアレルギー疾患の増加の原因には，地球温暖化も原因の1つに挙げられる。温帯地方では気温と湿度の上昇がダニの増殖，生存延長と抗原産生増加につながる。また，温度が高いため，空調を使用して長い時間を室内で過ごすことがさらにダニ曝露の増加につながる。

　スギ花粉症の増加もやはり，スギ花粉飛散量の増加に負うところが大きい。日本固有の植物の花粉症第1号としては，斎藤らが1964年に栃木県日光地方のスギ花粉症21症例を報告した。戦後全国の山林で広く植林されたスギは，1960年代ごろから手入れが疎かになるとともに，多くが花粉産生能力の高い30年以上の樹齢となり，毎年増減はあるが1995年以前と以降では花粉飛散量が有意に増加している。東京都の10年ごとの有病率調査では，1986年(10.0％)，1996年(19.4％)，2006年(28.2％)，2016年(45.6％)と著しい増加が報告されている。また，Urashimaら

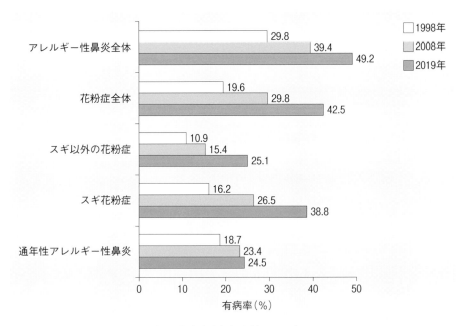

図1　1998年，2008年，2019年の有病率（参考文献14より）

（松原　篤ほか：日耳鼻　2020；123：485-490.）

　の最近の疫学調査では，1973年以降に生まれた集団はそれ以前の集団と比べてスギ花粉症を発症するリスクが高かった。これは，植林の期間が終了してから生まれた集団は，生後間もない期間に多くの花粉曝露を受けているためと報告している。秋田県の小学生疫学調査においても，スギ花粉飛散量（スギ花粉曝露）が多い地域ではスギ特異的IgE陽性率とスギ花粉症発症率が有意に高いことが証明されている。

　アレルギー性鼻炎の疫学調査結果は，その抗原，年齢，地域，調査法，調査年度などによって大きく異なることから，日本全国の有病率を正確に知ることはなかなか難しい。全国的なアレルギー性鼻炎の疫学調査は，スギ花粉症における2001年の奥田の調査が知られるが，もう1つの全国調査に耳鼻咽喉科医およびその家族を対象とした疫学調査がある。全国調査ではあるが，職業の同一性という集団に偏りがあるため，本当の意味で無作為の調査ではないが，専門医が回答者であることから診断の確実性は他の調査に類をみない。1998年と2008年と2019年に同様の方法で調査を行った結果，20年間にアレルギー性鼻炎全体では29.8％，39.4％から49.2％へと増加しており，花粉症全体は19.6％，29.8％から42.5％へ増加していた。通年性アレルギー性鼻炎の有病率は18.7％，23.4％から24.5％へ，スギ花粉症の有病率は16.2％，26.5％から38.8％へ，スギ以外の花粉症は10.9％，15.4％から25.1％へと増えた（図1）。また，スギ以外の花粉症がこの11年間でおよそ10％増加しているのは，イネ科花粉症やキク科花粉症に加え，西日本で増加しているヒノキ花粉症を反映している可能性がある。図2，3に年齢層別有病率（粗有病率），表2に都道府県別有病率を示す。10～19歳において約半数がスギ花粉症をすでに発症しており，以降の年代は50歳代まで45％以上の有病率をもっていた。また，5～9歳の年代ではそれ以前より急増して30.1％の有病率であることから発症は若年化している。

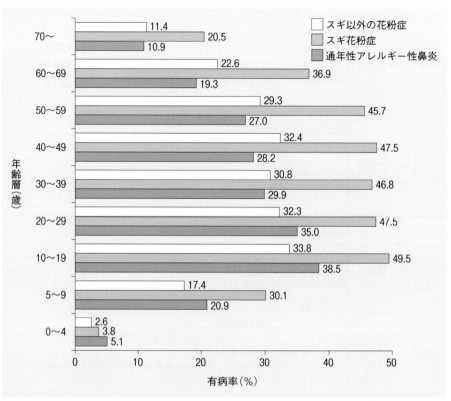

図2　年齢層別有病率（2019年）（参考文献14より）

（松原　篤ほか：日耳鼻　2020；**123**：485-490.）

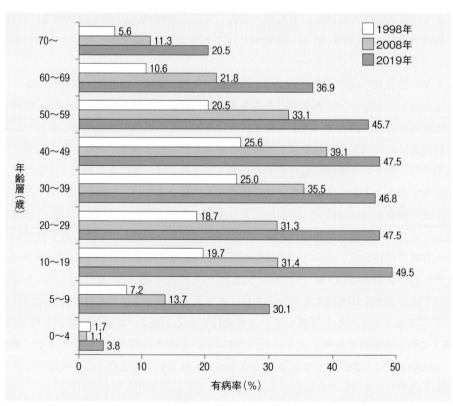

図3　1998，2008，2019年の年齢層別スギ花粉症有病率（参考文献14などより作成）

（鼻アレルギー診療ガイドライン2024）

表2　都道府県別有病率（2019年）（参考文献14より）

都道府県名	都道府県別対象数	有病率（%）				
		通年性アレルギー性鼻炎	スギ花粉症	スギ以外の花粉症	花粉症全体	アレルギー性鼻炎全体
1　北海道	775	32.1	5.6	27.3	27.5	40.0
2　青　森	216	24.1	31.7	20.9	36.7	44.0
3　岩　手	135	11.7	41.7	25.6	44.5	50.4
4　宮　城	298	26.8	39.7	26.0	43.9	48.9
5　秋　田	171	22.9	30.1	15.2	31.9	39.0
6　山　形	191	24.6	39.3	29.9	46.0	51.4
7　福　島	274	24.9	43.1	22.5	46.7	48.6
8　茨　城	307	22.9	44.4	20.9	44.8	50.0
9　栃　木	302	29.5	56.7	31.4	59.2	63.3
10　群　馬	188	15.9	39.1	23.2	45.4	50.0
11　埼　玉	572	29.0	56.1	33.8	57.9	60.4
12　千　葉	540	30.4	41.8	23.5	43.9	51.4
13　東　京	3,015	25.2	47.0	24.0	49.1	54.3
14　神奈川	1,120	28.2	48.1	28.0	49.8	55.3
15　山　梨	166	24.3	65.0	35.0	66.5	69.1
16　新　潟	360	21.1	27.3	12.7	29.9	37.4
17　富　山	191	18.3	29.3	14.3	32.6	40.4
18　石　川	272	16.7	27.0	15.9	30.4	35.4
19　福　井	206	35.0	43.9	23.7	46.0	53.2
20　長　野	240	17.4	48.6	35.0	52.5	56.0
21　岐　阜	314	21.5	44.4	34.6	50.5	55.6
22　静　岡	458	15.7	45.9	30.8	50.4	53.1
23　愛　知	1,180	22.9	43.5	32.2	47.0	51.9
24　三　重	279	21.0	47.0	23.3	49.2	53.0
25　滋　賀	231	18.6	37.5	28.5	40.2	44.6
26　京　都	646	25.1	49.2	36.1	51.8	55.8
27　大　阪	1,455	22.6	36.9	27.4	39.3	45.3
28　兵　庫	940	21.3	34.6	25.2	38.6	46.7
29　奈　良	335	19.5	38.3	36.7	47.5	50.3
30　和歌山	186	28.7	30.6	28.3	35.3	45.6
31　鳥　取	97	25.0	32.2	23.8	37.4	40.2
32　島　根	89	25.9	29.3	16.5	30.1	38.6
33　岡　山	378	21.8	32.9	24.3	36.9	42.5
34　広　島	435	29.0	40.9	23.4	43.5	52.2
35　山　口	230	24.7	32.9	17.8	34.3	44.1
36　徳　島	202	18.2	27.0	16.6	31.2	40.0
37　香　川	195	20.2	40.8	25.7	44.1	50.0
38　愛　媛	297	17.5	35.0	21.3	40.1	45.1
39　高　知	165	17.0	40.6	10.4	41.9	46.3
40　福　岡	723	27.3	24.4	16.7	27.8	39.2
41　佐　賀	109	40.0	38.8	26.4	40.8	54.3
42　長　崎	255	28.7	25.0	8.6	25.0	45.0
43　熊　本	243	29.7	23.4	20.5	27.5	41.9
44　大　分	190	29.8	38.6	23.0	39.8	45.6
45　宮　崎	160	25.5	32.0	16.7	35.5	48.4
46　鹿児島	250	29.7	18.3	12.5	20.3	36.2
47　沖　縄	157	25.3	8.6	8.4	12.6	30.9
全　　　体		24.5	38.8	25.1	42.5	49.2
有症者数（人）		4,377	7,139	4,305	7,845	9,140
解析対象者人数（人）	19,738	17,872	18,393	17,179	18,453	18,596

（松原　篤ほか：日耳鼻　2020；123：485-490.）

　正確な感作率と有病率は，一定の集団の血清特異的IgE測定とアンケート調査から得られる。2006年に福井大学病院の健康診断で行われた第1回横断研究（20〜49歳，1,540名）では，感作率，有病率はスギ（55.5％，36.8％），ダニ（40.6％，15.8％）であった。2016年に行った第2回横断研究（20〜59歳，1,472人）では，感作率，有病率はスギ（59.5％，41.1％），ダニ（46.5％，21.1％）であった。特にスギの有病率は20歳代で8.1％増加して43.3％に，30歳代では6.9％増加して43.7％になり，増加の主体はより若い世代であった。第1回と2回の両方の調査を受けたコホート集団（334人）の解析では，20歳代から40歳代の10年間の同一人物の変化を追跡し，スギの発症者から症状が消失，または感作が陰転化した寛解率は12.7％であった。一方で，ダニの発症者からの寛解率は36.2％であった。しかし，スギ，ダニとも新規発症者数が寛解数をわずかに上回っていたため，この集団においてもアレルギー性鼻炎の有病率は増加していた。そして，スギでは20歳以降に新規発症をする人が多くはないこともわかった。次に若年の発症状況について述べる。

　Osawaらは乳幼児の調査として，福井市の1歳6カ月児検診（408名）において血清中ダニ，スギ，ネコ特異的IgE，鼻汁好酸球検査，アンケート調査を行った。3項目いずれかの特異的IgE陽性者（0.70U/mL以上）合計は10.7％，鼻汁好酸球陽性者（200倍視野で10個以上の好酸球あり）7.1％であり，1歳6カ月児の発症率は，1.5〜10％と推測された。

　ISAACのアンケートを用いたいくつかの報告がある。西間らにより西日本小学生の大規模なアレルギー疾患有病率調査が行われ，1992年に47,000人，2002年に36,000人，2012年に34,000人が参加した。アレルギー性鼻炎の有病率は15.9％，20.5％，28.1％と20年間に10％以上の増加をしていた。Ozasaらは京都府南部地域の学童（約1,100人）を対象に，1994年から13年間継続的に血清特異的IgE検査とアンケートを用いたコホート調査を行った。スギの感作率は2006年までに39.0％から56.8％に上昇し，有病率も12.7％から23.6％に増加した。さらにこの研究では，11月から1月に生まれた学童は，直後の花粉飛散に曝露されるためにスギ花粉症の発症リスクが高かった。Sasakiらは同様にISAACの調査票を用いて2005年，2015年に47都道府県の小学生約13万人の調査を行った。小学生ではアレルギー性鼻炎は14.8％から18.7％，中学生では20.5％から26.7％と増加していた。一方で，喘鳴と湿疹は横ばいであった。Morikawaらが同じ方法で行った別の調査では，アレルギー性鼻炎は小学生では男児に多く，中学生では女子に多くなっていた。

　高校生に関しては，Tokunagaらが2012年12月に福井県の95％の高校生（約20,000人）を対象にしたアンケート調査を行った。高校生で実際にアレルギー性鼻炎の症状がある人は19.2％であった。高校生の段階でアレルギー性鼻炎の寛解率は15％であった。Yonekuraらにより千葉県の40〜70歳代（約700人）を対象とした10年間の調査が行われ，ダニに対する感作率と有病率は，加齢とともに減少するが，スギ花粉に対するIgE産生は花粉飛散量に影響を受けるものの，飛散が多い年には感作率，有病率の増加が認められた。この中高年層では10年間の追跡で19.2％がスギ花粉症の寛解を来し，新規発症は3.4％であった。

　スギ花粉症の新規発症予防に関する調査が実施された。新型コロナウイルス感染症（COVID-19）に対する感染予防対策としてのマスク着用によるスギ花粉症新規発症への影響を

調査する目的に，福井県内の小学生15,367人の調査結果の解析からは，マスク装用による社会生活が定着する2021年以前には新規発症率は平均３％ほどであったのに対して，2021年では1.4％と半分以下に減少していた。スギ花粉症を発症していない子供に対して花粉飛散シーズン期間のマスク着用することが，発症の予防になる可能性を示唆している。マスクの有用性に関しては，今後の詳細な検討も必要である。

　このように，抗原量の増加に伴いスギ花粉症やダニアレルギー発症の増加が示されている。若年化するスギ花粉症に対して，小学生から高校生までの新規発症を抑制することが成人期以降の有病率を抑えるために重要と考えられる。

参考文献

1）高岡正敏：アレルギー性疾患の主な原因となるチリダニについて．Pest Control TOKYO　2014；**66**：12-20.

2）福冨友馬ほか：室内環境中のダニ・昆虫とアレルギー疾患．Indoor Environment　2009；**12**：87-96.

3）Tham EH, et al.：Aeroallergen sensitization and allergic disease phenotypes in Asia. Asian Pac J Allergy Immunol　2016；**34**：181-189.

4）Bousquet J, et al.：Allergic rhinitis and its impact on asthma（ARIA）2008 update. Allergy 2008；**63**（Suppl. 86）：8-160.

5）Acevedo N, et al.：House dust mite allergy under changing environments. Allergy Asthma Immunol Res　2019；**11**：450-469.

6）斎藤洋三：日本の花粉症の黎明期．「Q&Aでわかるアレルギー疾患」　2007；**3**：517-521.

7）Yamada T, et al.：Present state of Japanese cedar pollinosis：the national affliction. J Allergy Clin Immunol　2014；**133**：632-639.

8）東京都福祉保健局：花粉症患者実態調査報告書（平成28年度）．平成29年12月．2018.

9）Urashima M, et al.：Japanese cedar pollinosis in Tokyo residents born after massive national afforestation policy. Allergy　2018；**73**：2395-2397.

10）Honda K, et al.：The relationship between pollen count levels and prevalence of Japanese cedar pollinosis in Northeast Japan. Allergol Int　2013；**62**：375-380.

11）Okuda M：Epidemiology of Japanese cedar pollinosis throughout Japan. Ann Allergy Asthma Immunol　2003；**91**：288-296.

12）中村昭彦ほか：アレルギー性鼻炎の全国疫学調査．日耳鼻　2002；**105**：215-224.

13）馬場廣太郎ほか：鼻アレルギーの全国疫学調査2008（1998年との比較）．Prog Med　2008；**28**：2001-2012.

14）松原　篤ほか：鼻アレルギーの全国疫学調査2019（1998年，2008年との比較）：速報—耳鼻咽喉科医およびその家族を対象として—．日耳鼻　2020；**123**：485-490.

15）Sakashita M, et al.：Prevalence of allergic rhinitis and sensitization to common aeroallergens in a Japaneses population. Int Arch Allergy Immunol　2010；**151**：255-261.

16）Sakashita M, et al：Comparison of sensitization and prevalence of Japanese cedar pollen and mite-induced perennial allergic rhinitis between 2006 and 2016 in hospital workers in Japan. Allergol Int　2021；**70**：89-95.

17）Osawa Y, et al.：Prevalence of allergic rhinitis assessed by inhaled antigen sensitization and nasal eosinophils in children under two years old. Int J Pediatr Otorhinolaryngol　2012；**76**：189-193.

18）西間三馨ほか：西日本小学児童におけるアレルギー疾患有症率調査．日小ア誌　2013；**27**：149-169.

19) Ozasa K, et al.：A 13-year study of Japanese cedar pollinosis in Japanese schoolchildren. Allergol Int 2008；**57**：175-180.

20) Sasaki M, et al.：The change in the prevalence of wheeze, eczema and rhino-conjunctivitis among Japanese children：findings from 3 nationwide cross-sectional surveys between 2005 and 2015. Allergy 2019；**74**：1572-1575.

21) Morikawa E, et al.：Nationwide survey of the prevalence of wheeze, rhino-conjunctivitis, and eczema among Japanese children in 2015. Allergol Int 2020；**69**：98-103.

22) Tokunaga T, et al.：Factors associated with the development and remission of allergic diseases in an epidemiological survey of high school students in Japan. Am J Rhinol Allergy 2015；**29**：94-99.

23) Yonekura S, et al.：Effects of aging on the natural history of seasonal allergic rhinitis in middle-aged subjects in south chiba, Japan. Int Arch Allergy Clin Immunol 2012；**157**：73-80.

第 3 章

発症のメカニズム

Mechanisms

第3章 発症のメカニズム

Mechanisms

　アレルギー性鼻炎は他のⅠ型アレルギー性疾患と同じく，遺伝的素因が重要である。感作発症素因は多因子的であり，日本人集団ではIgE産生に関わるCD14，IL-33，TYRO3などの遺伝子多型が素因として知られている。IgEは抗原の粘膜内侵入により，鼻粘膜内や所属リンパ組織などで産生される。抗原は抗原提示細胞に貪食され，これにより活性化されたTh2リンパ球とBリンパ球の相互作用が最も重要である。一方，制御性T細胞はこれらの細胞に対して抑制的に働く。

　アレルギー性鼻炎の原因抗原の大部分は吸入性抗原で，ヒョウヒダニ（*Dermatophagoides*：ハウスダスト中の主要抗原），花粉（樹木，草本，雑草類など），真菌類など，特に前二者が主な抗原である。食物抗原のアレルギー性鼻炎発症への関与はきわめて低いと考えられている。

　血清特異的IgEが気道粘膜に分布する好塩基性細胞（マスト細胞と好塩基球）上のIgE受容体に固着することによって感作が成立する。

　感作陽性者の鼻粘膜上に抗原が吸入されると，鼻粘膜上皮細胞間隙を通過した抗原は，鼻粘膜表層に分布するマスト細胞の表面でIgEと結合し，抗原抗体反応の結果，粘膜型マスト細胞からヒスタミン，ロイコトリエン（LTs）を主とする多くの化学伝達物質が放出される。これらの化学伝達物質に対する鼻粘膜の知覚神経終末，血管の反応として，くしゃみ，鼻汁，鼻粘膜腫脹（鼻閉）がみられる。これが即時相反応（early phase reaction）である。

　抗原曝露後，鼻粘膜内ではマスト細胞または，Th2リンパ球で産生されるサイトカイン（IL-4，IL-5，IL-13），ケミカルメディエーター［血小板活性化因子（PAF），LTs，プロスタグランジンD_2（PGD_2），トロンボキサンA_2（TXA_2）］，上皮細胞，血管内皮細胞，線維芽細胞で産生されるケモカイン（eotaxin，RANTES，TARC）やサイトカイン（IL-25，IL-33，TSLP）によって，好酸球や2型自然リンパ球（ILC2）を中心とする様々な炎症細胞が活性化し浸潤する。鼻粘膜におけるアレルギー性炎症の進行と同時に様々な刺激に対する鼻粘膜の反応性が亢進する。また，2次的に浸潤した炎症細胞，特に好酸球で産生されるLTsによって鼻粘膜腫脹が起こる。これが遅発相反応（late phase reaction）であり，抗原曝露6〜10時間後にみられる。自然環境下では，抗原に継続的に曝露されることから，実際の鼻症状では即時相，遅発相の複雑な関与がみられる（図4）。

1．くしゃみ

　鼻粘膜上皮および上皮下には，免疫組織学的にsubstance P（SP）または，calcitonin gene-related peptide（CGRP）陽性知覚神経が豊富に分布し，免疫電顕組織学的には上皮細胞間隙および上皮直下にその神経終末を認める。卵白アルブミン感作アレルギー性鼻炎モルモットを用いて，鼻粘膜からSP，CGRPを枯渇させることが知られているカプサイシンで前処理することに

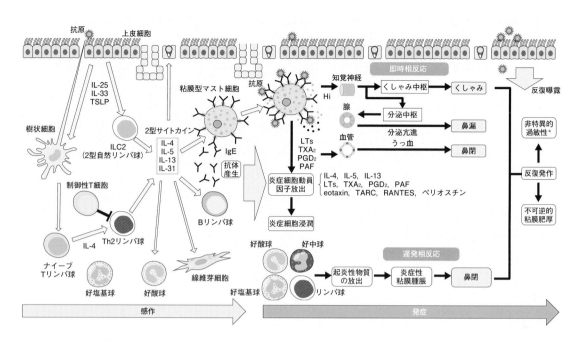

図4　アレルギー性鼻炎症状発現のメカニズム（参考文献10など参照し作成）
Hi：ヒスタミン，LTs：ロイコトリエン，TXA₂：トロンボキサンA₂，PGD₂：プロスタグランジンD₂，
PAF：血小板活性化因子，IL：インターロイキン，TARC：thymus and activation-regulated chemokine,
RANTES：regulated upon activation normal T expressed, and presumably secreted, TSLP：thymic stromal lymphopoietin
　＊アレルギー反応の結果，起こると推定される。

（鼻アレルギー診療ガイドライン2024）

よって，抗原誘発時にみられるくしゃみ反射は著明に抑制される。各種化学伝達物質を鼻粘膜上に投与した際に，有意なくしゃみ反射を誘発するのはヒスタミンだけで，抗原誘発時にみられるくしゃみは主にSP，CGRP陽性知覚神経終末のヒスタミン刺激による呼吸反射であり，知覚刺激効果が鼻粘膜過敏性により増幅されたものと考えられる。鼻粘膜過敏性亢進のメカニズムとして最小持続炎症（minimal persistent inflammation：MPI）とプライミング効果がある。MPIとは，症状を発現しない程度の抗原曝露でも鼻粘膜に好酸球浸潤などのアレルギー性炎症が惹起されることである。MPIは鼻粘膜過敏性を亢進させ，本格的な症状発現に寄与する。またプライミング効果とは，いったん発症すると症状発現に必要な抗原曝露量が10〜100分の1に減少，すなわち発症閾値が低下することである。花粉症では，花粉飛散量の増加に伴い症状が急激に悪化し，また花粉飛散の谷間でも同等の症状が持続するが，これらはプライミング効果で説明できる。

2．鼻　漏

　鼻粘膜の知覚刺激は，くしゃみ反射に同期して反射性に副交感神経中枢の興奮を起こす。通年性アレルギー性鼻炎症例を対象として一側鼻粘膜上で，抗原誘発した際にみられる誘発側および反対側鼻腔の鼻汁重量はくしゃみ回数と有意の相関を示し，また誘発側鼻汁重量は反対側

鼻汁重量と相関する。以上より鼻漏は，主にSP，CGRP陽性知覚神経終末に対するヒスタミンの刺激効果が鼻粘膜過敏性で増幅されて中枢に伝えられ，副交感神経反射により神経終末から遊離されるアセチルコリンが鼻腺に作用した鼻腺由来の分泌物と考えることができる。ヒスタミン，LTs，PAFなどの化学伝達物質は鼻粘膜血管に直接作用して血漿漏出を起こし，これが鼻汁成分の一部を構成するが，市販の抗原ディスクを用いて抗原誘発した際にみられる鼻汁のアルブミン濃度より計算すると，全鼻汁の4〜15%を占めるにすぎない。

3．鼻　閉

　アレルギー性鼻炎にみられる鼻粘膜腫脹の背景には，鼻粘膜容積血管平滑筋の弛緩（うっ血）と同時に血漿漏出による間質浮腫がある。抗原誘発時にみられる鼻粘膜腫脹の発現には，化学伝達物質の血管系に対する直接作用と同時に，中枢を介する副交感神経反射と軸索反射，神経節反射が一部関与する。副交感神経中枢興奮時にみられる鼻粘膜容積血管拡張および血漿漏出は，副交感神経終末や上皮細胞などより放出される一酸化窒素（NO）を介する反応である。抗原誘発後の副交感神経反射による鼻粘膜血管反応は，誘発15〜20分後までの初期にみられ，その時間経過は鼻汁分泌の経過に近似する。ただし，神経反射を介する鼻粘膜腫脹は化学伝達物質の鼻粘膜血管系に対する直接作用と比較すると，関与の程度はかなり低い。抗原誘発時にみられる鼻粘膜腫脹にはヒスタミン，LTs，PAF，PGD_2，キニン，そのほか多くの化学伝達物質の鼻粘膜血管系に対する直接作用が大きく作用する。特に，LTsの関与が大きい。

　遅発相にみられる鼻粘膜腫脹は，この時期に2次的に鼻粘膜に浸潤した炎症細胞，特に好酸球由来のLTs，TXA_2，PAFによるものと考えられる。

　IgE-マスト細胞の反応から，走化性物質による好塩基球，好中球，好酸球，リンパ球などのアレルギー局所への浸潤に続き，これら細胞から遊離されるサイトカイン，顆粒球由来化学物質が粘膜組織の変化を誘発し，しかも時間差攻撃ともいえる連続的抗原刺激の結果，この病変は慢性化すると考えられる。アレルギー性鼻炎は上述のように循環障害，滲出，分泌亢進，細胞浸潤と，その修復過程（結合織増生など）を特徴とする炎症反応である。治療法の選択は，この発症メカニズムを考えて行われるべきである。

参考文献
1 ）Takeuchi K, et al.：A CD14 gene polymorphism is associated with the IgE level for Dermatophagoides pteronyssinus. Acta Otolaryngol　2005；**125**：966-971.
2 ）Sakashita M, et al.：Association of serum interleukin-33 level and the interleukin-33 genetic variant with Japanese cedar pollinosis. Clin Exp Allergy　2008；**38**：1875-1881.
3 ）Kanazawa J, et al.：Association analysis of eQTLs of the TYRO3 gene and allergic diseases in Japanese populations. Allergol Int　2019；**68**：77-81.
4 ）奥田　稔：鼻アレルギーの発症機序．アレルギー　1990；**39**：301-306.
5 ）今野昭義ほか：鼻アレルギーの病態研究と治療の最新知見．最新内科学大系，プログレス4，免疫アレルギー疾患（監修：井村裕夫ほか）．pp.271-288，中山書店，東京，1997.
6 ）石川　哮：アレルギーの遺伝要因．アレルギー医学．pp.74-84，医薬ジャーナル社，東京，1998.
7 ）Chikamatsu K, et al.：Analysis of T-helper responses and FOXP3 gene expression in patients with

Japanese cedar pollinosis. Am J Rhinol 2008；**22**：582-588.

8 ）Okano M, et al.：Characterization of pollen antigen-induced IL-31 production by PBMCs in patients with allergic rhinitis. J Allergy Clin Immunol 2011；**127**：277-279.

9 ）Tojima I, et al.：Evidence for the induction of Th2 inflammation by group 2 innate lymphoid cells in response to prostaglandin D_2 and cysteinyl leukotrienes in allergic rhinitis. Allergy 2019；**74**：2417-2426.

10）Licona-Limon P, et al.：TH2, allergy and group 2 innate lymphoid cells. Nat Immunol 2013；**14**：536-542.

第 3 章　発症の メカニズム

第 4 章

検査・診断
Examination and Diagnosis

第4章 検査・診断

Examination and Diagnosis

I・検査（Examination）

　アレルギーの検査には，アレルギー性か否かの検査と抗原同定検査がある。

　前者には問診，鼻腔内所見（鼻鏡，内視鏡検査），鼻副鼻腔X線検査，血液・鼻汁好酸球検査，血清総IgE定量が，後者には皮膚テスト，血清特異的IgE検査，鼻誘発試験がある。問診や鼻腔内の観察により，アレルギー性鼻炎の典型的な鼻粘膜所見と症状を呈する場合は，臨床的にアレルギー性鼻炎と判断してもよい（**表3**）。臨床的診断が困難な場合や，投薬加療などに十分な反応性を認めない場合，またはアレルゲン免疫療法を施行するときには抗原同定検査を行う（**図5**）。有症者で鼻汁好酸球検査，皮膚テスト（または血清特異的IgE検査），鼻誘発試験のうち2つ以上陽性ならアレルギー性鼻炎と確診できる。

　皮膚テストは安価で患者自身も短時間で結果を直接確認することができる。皮内テスト，ス

表3　局所所見の程度分類

	＋＋＋	＋＋	＋	－
下鼻甲介粘膜の腫脹	中鼻甲介みえず	（＋＋＋）と（＋）の間	中鼻甲介中央までみえる	なし
水様性分泌量	充満	（＋＋＋）と（＋）の間	付着程度	なし

（鼻アレルギー診療ガイドライン2024）

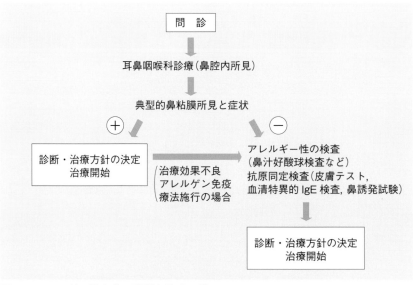

図5　アレルギー性鼻炎の診断と治療の流れ

（鼻アレルギー診療ガイドライン2024）

表4 皮膚テストに際しての各種薬剤の中止期間の目安(参考文献12より)

薬効分類		一般名	一般名	先発品商品名	中止日数
ヒスタミン H₁ 受容体拮抗薬	第1世代	Chlorpheniramine	クロルフェニラミン	クロダミン,アレルギン	2〜6日
		Dexchlorpheniramine	d-クロルフェニラミン	ポララミン	4日
		Clemastine	クレマスチン	タベジール	5〜10日
		Cyproheptadine	シプロヘプタジン	ペリアクチン	9〜11日
		Diphenhydramine	ジフェンヒドラミン	レスタミン,トラベルミン	2〜5日
		Hydroxizine	ヒドロキシジン	アタラックス	5〜8日
		Promethazine	プロメタジン	ピレチア,ヒベルナ	3〜5日
		Tripelennamine	トリペレナミン	日本では発売なし	3〜7日
	第2世代	Azerastine nasal	アゼラスチン鼻用	日本では発売なし	3〜10日
		Ebastine	エバスチン	エバステル	3〜10日
		Cetirizine	セチリジン	ジルテック	3〜10日
		Fexofenadine	フェキソフェナジン	アレグラ	2日
		Loratadine	ロラタジン	クラリチン	7〜10日
		Desloratadine	デスロラタジン	デザレックス	3〜10日
		Levocetirizine	レボセチリジン	ザイザル	3〜10日
		Bilastine	ビラスチン	ビラノア	4〜5日
		Levocabastine nasal	レボカバスチン鼻	リボスチン点鼻液	皮膚テストを抑制しない。
		Levocabastine ophthalmic	レボカバスチン眼	リボスチン点眼液	皮膚テストを抑制しない。
		Rupatadine	ルパタジン	ルパフィン	3〜7日
三環系抗うつ剤,精神安定剤		Desipramine	デシプラミン	日本では発売なし〔類似薬:アナフラニール(クロミプラミン塩酸塩),トリプタノール(アミトリプチリン塩酸塩),ノリトレン(ノルトリプチリン塩酸塩)〕	2日
		Imipramine	イミプラミン	トフラニール〔類似薬:スルモンチール(トリミプラミンマレイン酸塩錠),アンプリット(ロフェプラミン塩酸塩錠),プロチアデン(ドスレピン塩酸塩)〕	>10日
		Doxepin	ドキセピン	日本では発売なし〔類似薬:アモキサン(アモキサピン)〕	6〜11日
		Doxepin topical	ドキセピン外用剤	日本では発売なし	11日
ヒスタミン H₂ 受容体拮抗薬		Ranitidine	ラニチジン	ザンタック	1日
抗IgE モノクローナル抗体		Omalizumab	オマリズマブ	ゾレア	プリックテストは最終投与6週間後に行う。しかし1年は偽陰性が起こり得る。
ロイコトリエン受容体拮抗薬		Montelukast	モンテルカスト	キプレス/シングレア	皮膚テストを抑制しない。
		Zafirlukast	ザフィルルカスト	日本では発売なし〔類似薬:オノン(プランルカスト水和物)〕	皮膚テストを抑制しない。
ステロイド内服薬	短期間	30 mg of prednisolone daily for 1 week	プレドニゾロン30mg/日を1週間		皮膚テストを抑制しない。
	長期間	>20 mg/day	プレドニゾロン20mg/日以上		皮膚テストの即時型反応を抑制する可能性がある。
ステロイド外用薬		>3 weeks	ステロイド外用剤3週間以上		塗布された部位を超えて皮膚テストの即時型反応を抑制する。
局所麻酔薬		EMLA cream	エムラクリーム		塗布1時間以内だと皮膚テストを抑制する(抑制するのは紅斑のみ)。

(「皮膚テストの手引き」作成委員会編:日本アレルギー学会,2021.)

クラッチテスト,プリックテストが施行可能であるが,近年,安全性,疼痛軽減,臨床症状との相関に優れるプリックテストが主流となっている。検査に先立って,検査結果に影響を及ぼす薬剤をあらかじめ中止して行う必要がある。それぞれの薬剤の中止期間の目安を表4に,検査成績の程度分類を表5に示す。ただし,皮膚テストは,活動性の高い湿疹のあるアトピー性

表5　アレルギーの検査成績の程度分類

検査法＼程度	╫	╪	＋	±	－
皮内テスト	紅斑41mm以上または膨疹16mm以上	40mm～20mm 15mm～10mm	40mm～20mm 9mm以下		19mm以下 9mm以下
鼻誘発試験*	症状3つ 特にくしゃみ6回以上	症状3つ	症状2つ	症状1つ	0
鼻汁好酸球	群在	（╫）と（＋）の中間	弱拡で目につく程度	強拡大で確認	0

*症状3つ：①くしゃみ発作・鼻瘙痒感，②下鼻甲介粘膜の腫脹蒼白，③水様性分泌
・診断用スクラッチエキス〔鳥居薬品（株）〕を使用したスクラッチテスト，プリックテストは施行後15～30分後に判定する。膨疹または紅斑径が対照の2倍以上，または紅斑10mm以上もしくは膨疹が5mm以上を陽性とする（参考文献12を参照）。
・診断用スクラッチエキス以外のプリックテストは，通常15～20分後に判定し，膨疹径3mm以上もしくは陽性コントロールの半分以上を陽性と判断する。対照液である陽性コントロール（ヒスタミン二塩酸塩10mg/mL），陰性コントロール（生理食塩水）を用いる場合は，右のスコアを利用することも可能である。

陽性コントロールの2倍の膨疹	4＋
陽性コントロールと同等の膨疹	3＋
陽性コントロールの2分の1の膨疹	2＋
2分の1より小さく，陰性コントロールより大きい膨疹	1＋
陰性コントロールと同等	－

（鼻アレルギー診療ガイドライン2024）

皮膚炎患者では，皮膚炎をコントロールしてから検査を施行する。また，機械性蕁麻疹患者では，判定が困難になる。

　鼻誘発試験は，アレルギー性鼻炎における効果器としての鼻粘膜の反応に基づいて判断することになり臨床的重要性が高い。また，local allergic rhinitis（LAR）の診断の際にも重要な検査と位置付けられている。両側下鼻甲介前端にまず対照濾紙ディスクを置き，非特異的反応がないことを確かめた後，抗原ディスクで同じ操作を繰り返す。5分間に起こるくしゃみの回数，鼻瘙痒感，鼻汁量，粘膜腫脹度から表5の程度分類を行う。ディスクの挿入に耳鼻咽喉科的操作を要し，特に非特異的反応が起これば日を改めて検査をしなければならないなどの欠点がある。また，現在市販されている誘発ディスクはハウスダスト，ブタクサ花粉のみであるが，両者とも2023年3月で販売停止となっており，スギ花粉なども含む代替品の発売が待たれる。今後の課題として疑陽性，疑陰性を減らす誘発方法の開発が必要である。

　血清特異的IgEの定量は採血後，検査室か検査センターに依頼する簡便さ，患者の皮膚の状態と無関係に施行可能，および薬剤の中止の必要がない利点がある。ただし，高価（保険診療で，1種類110点，1回の採血で13項目相当の1,430点が限度，2023年12月現在）である上，迅速検査キット以外では結果を得るのに数日を要する欠点がある。また，皮膚テストに比べ感度と特異度がやや低い傾向があり，特に総IgE値が高い症例では特異的IgE陽性が必ずしも臨床的に重要でない場合がある。最近は多種類の定量法が行われており，感度と特異度の高いテストを選ぶ必要がある（表6）。また，アレルゲン活性を有するタンパク成分であるアレルゲンコンポーネントを用いた特異的IgEによるcomponent-resolved diagnostitcs（CRD）を用いる検査も現在可能となっているが，保険適用となっている項目は食物アレルゲンも含め少数である。

　原因抗原の同定は重要で問診により通年性か季節性かを知り，季節性なら診療圏における花

表6 血清特異的IgE測定法の特徴および測定域（スコア）

	単項目別検査法*			同時多項目検査法**		迅速検査		
試薬名	イムノキャップ特異的IgE/イムノキャップ アレルゲンコンポーネント	シーメンス・イムノライズアラースタットIgE II	オリトンIgE「ケミファ」特異IgE	Viewアレルギー39	マストイムノシステムズIV・V	イムノキャップ ラピッド鼻炎・ぜんそくI	イムノファスト チェックJ1・J2	ドロップスクリーン特異的IgE測定キットST-1
測定法	FEIA法	CLEIA法	EIA法	FEIA法	CLEIA法	金コロイド法	EIA法	CELIA法
測定機器	ファディア 100/200/250/1000/5000	イムライズ2000、イムライト2000XPi	DiaPack3000	ファディア 1000/5000	マストイムノシステムズAP3600 用手法	用手法	用手法	ドロップスクリーンA1
単位（濃度）	U_A/mL	U_A/mL	U/mL	IU/mL	—	—	—	IU/mL
測定結果の判定法	クラス0〜6 陰性 0.35未満 陰性、0.35以上0.7未満 疑陽性、0.7以上 陽性	クラス0〜6 陰性 0.10未満 陰性、0.10〜0.34 微弱陽性、0.35〜0.69 弱陽性、0.70〜 陽性	クラス0〜6 0以上0.35未満 陰性、0.35以上0.7未満 疑陽性、0.7以上 陽性	クラス0〜6 Index値0.27未満 陰性、0.27以上0.50未満 疑陽性、0.50以上 陽性	クラス0〜6 ルミカウント0〜1.39 陰性、1.40〜2.77 疑陽性、2.78〜 陽性	陰性/陽性/強陽性	クラス0/1（陰性）クラス2〜5（陽性）	クラス0〜6 0以上0.35 未満 陰性、0.35 以上0.7 未満 疑陽性、0.7以上 陽性
測定可能項目数	191項目	190項目	60項目	391項目	36項目	8項目	3項目	41項目
必要検体量	40μL/項目	50μL/項目	50μL/項目	351μL	200μL	110μL	20μL	20μL
販売会社	サーモフィッシャーサイエンティフィック ダイアグノスティックス	シーメンスヘルスケア・ダイアグノスティックス	日本ケミファ	サーモフィッシャーサイエンティフィック ダイアグノスティックス	日立化成ダイアグノスティックスシステムズ	サーモフィッシャーサイエンティフィック ダイアグノスティックス	LSIメディエンス	日本ケミファ
特徴	多孔質セルロース スポンジ固相。保険適用されているアレルゲンコンポーネントは10種類。国内外で最も汎用されている。	ポリエチレンビーズ固相***。保険適用されているアレルゲンコンポーネントは4種類。	多孔質ガラスフィルター固相。保険適用されているアレルゲンコンポーネントは4種類。	多孔質セルロース スポンジ固相。イムノキャップ特異IgEとの高いクラス相関が報告されている。	ポリエチレンウェル固相。マストイムノシステムズVは、異項目測定となって36項目測定可能。	ハウスダスト系の4項目（ヤケヒョウヒダニ、ネコ皮屑、ウヒダニ、イヌ皮屑）と花粉4項目（スギ、カモガヤ、ブタクサ、ヨモギ）が測定可能。測定ステップは3ステップ。	J1（吸入系：ヤケヒョウヒダニ、ネコ上皮、スギ）、J2（食物系：卵白、ミルク、小麦）の2種類がある。測定ステップは2ステップ。	ケブラスチック基板。41項目の特異的IgEを30分で測定。

（2023年12月現在）

（鼻アレルギー診療ガイドライン2024）

*測定法によってそれぞれの検査結果（数値）は異なる値を示すことに注意を要する。同一検体を測定しても結果の数値が一致するとは限らない。
**同時に多項目測定できることを特徴としており、原因不明の食物アレルギーの検索や、吸入系アレルギーの感作状況を同時に検出する際に用いることができる。しかし、データの定量性は十分ではないので、臨床経過の評価や食物アレルギーの診断に直接用いることは推奨できない。
***第一相では液相を使用しているが、最終的に固相化するものを記載。

花粉名	地域	1月	2月	3月	4月	5月	6月	7月	8月	9月	10月	11月	12月
ハンノキ属 (カバノキ科)	北海道												
	東　北												
	関　東												
	東　海												
	関　西												
	九　州												
スギ属 (ヒノキ科)	北海道												
	東　北												
	関　東												
	東　海												
	関　西												
	九　州												
ヒノキ	北海道												
	東　北												
	関　東												
	東　海												
	関　西												
	九　州												
シラカンバ (カバノキ科)	北海道												
	東　北												
	関　東												
	東　海												
	関　西												
	九　州												
イネ科	北海道												
	東　北												
	関　東												
	東　海												
	関　西												
	九　州												
ブタクサ属 (キ ク 科)	北海道												
	東　北												
	関　東												
	東　海												
	関　西												
	九　州												
ヨモギ属 (キ ク 科)	北海道												
	東　北												
	関　東												
	東　海												
	関　西												
	九　州												
カナムグラ (アサ科)	北海道												
	東　北												
	関　東												
	東　海												
	関　西												
	九　州												

木本の花粉凡例：　▢ 0.1～5.0個/cm²/日　　▢ 5.1～50.0個/cm²/日　　▢ 50.1～個/cm²/日
草本の花粉凡例：　▬ 0.05～1.0個/cm²/日　　▬ 1.1～5.0個/cm²/日　　■ 5.1～個/cm²/日

図6　主な花粉症原因植物の花粉捕集期間（2002～2018年開花時期）（参考文献11より）
　各地域を代表して札幌市(北海道)，仙台市(東北)，相模原市(関東)，浜松市(東海)，和歌山市(関西)，福岡市(九州)における本邦の重要抗原花粉の飛散期間を示した。当ガイドライン2016年版(2002～2011年)に，最近の調査結果(2012～2018年)を追加して更新した。
　重力法による調査結果を旬ごとにまとめ，最終的に日ごとの平均花粉数としてグラフに示した。木本はヒノキ科スギ属・ヒノキ属，カバノキ科ハンノキ属，シラカンバが主のカバノキ科カバノキ属を示し，草本は初夏に多いイネ科，秋のキク科ブタクサ属・ヨモギ属とアサ科カナムグラの開花時期である。ハンノキ属は1月から捕集され2月になると全域で圧倒的にスギ属花粉の季節を迎え，関東では大量に長期に5月まで捕集された。飛散期間の長期化傾向があった。ヒノキ属は3月から4月を中心に約1カ月間続く。北海道，東北は4～6月にシラカンバのシーズンとなる。北海道を除く各地で秋のスギ花粉が11月を中心に10～12月にかけてわずかだが毎年捕集された。草本のイネ科抗原花粉は5月を中心に4～6月までが主で関東，東北に多い。秋のイネ科は春より少ない。9月を中心に各地でブタクサ属，ヨモギ属，カナムグラがほぼ同時に捕集された。これらは関東地区が他より多く，花粉症悪化がうかがえる。

（岸川禮子ほか：花粉誌　2020；65：55-66.）

粉の植生，花粉飛散時期をあらかじめ知っておく必要がある（図6）。

参考文献
1) 大塚博邦ほか：鼻アレルギー鼻汁好酸球増多の判定．耳鼻臨床　1978；**71**：445-451.
2) 早川哲夫：皮膚テストの施行方法と判定法．medicina　1991；**28**：228-229.
3) 石川　哮：鼻アレルギー診断フローチャート．アレルギーの領域　1995；**2**：1487-1489.
4) 奥田　稔：鼻抗原誘発テストの実際．アレルギーの領域　1998；**5**：42-45.
5) 榎本雅夫：IgE抗体試験管内測定法の現状．アレルギーの臨床　2003；**23**：675-680.
6) 中川武正：新MAST-Immunosystemsについて．アレルギーの臨床　2006；**26**：238-242.
7) 日本臨床検査薬協会編：体外診断用医薬品集（2008年度版）．薬事日報社，2008.
8) 河合　忠ほか監修：今日の臨床検査．南江堂，2011.
9) 榎本雅夫：MASTⅢとViewアレルギーについて．アレルギーの臨床　2015；**35**：80-84.
10) Heinzerling L, et al.：The skin prick test-European standards. Clin Transl Allergy　2013；**3**：3.
11) 岸川禮子ほか：我が国の重要な花粉抗原の飛散期間．花粉誌　2020；**65**：55-66.
12) 「皮膚テストの手引き」作成委員会編：日本アレルギー学会，2021.

Ⅱ・診断（Diagnosis）

　アレルギー性鼻炎と原因の異なる鼻炎との鑑別がまず必要である。鼻かぜの初期にはくしゃみ，鼻漏がみられるので鑑別しがたいことがある。アレルギー性鼻炎では，鼻のかゆみを認めることが多く，かゆみ症状は鼻かぜとの鑑別に役立つ。鼻かぜでは数日で鼻汁が粘膿性になり，1〜2週間で治癒することが多い。鼻粘膜は発赤し，全身倦怠，筋肉痛，発熱，咽頭痛や咳，痰がみられる。鼻汁中には好酸球はなく，脱落上皮細胞がみられ，数日後鼻汁中の好中球の増加が起こる。現時点で特に問題となっているのは，新型コロナウイルス（SARS-CoV-2）感染症と花粉症の鑑別である。鼻のかゆみや眼症状は比較的花粉症に特徴的と考えられるが，両者の鑑別は必ずしも容易ではなく，必要であれば十分に感染対策を施した上で，積極的に新型コロナウイルス感染症（COVID-19）の抗原検査・PCR検査を施行することが望ましい。急性副鼻腔炎，慢性非好酸球性副鼻腔炎ではくしゃみはなく，粘性または粘膿性の好中球増加を伴う鼻汁，浮腫性中鼻甲介を認めることが多く，X線・CT画像上の陰影増強があるので鑑別は容易である。鼻漏，鼻閉などの症状だけで，鼻腔内所見を確認することなく診断するのは避けるべきである（急性副鼻腔炎では必ずしも画像検査は必要ではない）。

　診断上の注意点を列挙すると，

①幼児では症状を訴えず，鼻閉が咽頭扁桃肥大や慢性副鼻腔炎によることも少なくない。

②花粉症では季節外には鼻粘膜所見は正常で，鼻汁好酸球検査は陰性である。また，鼻汁採取が困難なこともある。

③一般に皮膚テスト，血清特異的IgE検査が陽性でも発症抗原になっていない場合もあり，総合的な診断が必要である。

④有症者で典型的な鼻粘膜所見を呈する場合は，臨床的にアレルギー性鼻炎と判断してよいが，投薬加療などに十分な反応性を認めない場合，またはアレルゲン免疫療法を施行するとき

にはアレルギー性の診断や抗原同定検査を行う。花粉症の飛散シーズン外の診断では問診と皮膚テストまたは抗体の定量が重要である。

⑤皮膚テストと血清特異的IgE検査の結果が一致しないこともあるので，問診と矛盾するときは両者の実施が必要なこともある。

⑥皮膚テスト，鼻誘発試験，血清特異的IgE検査が陰性のときは，抗原の選択もれや検査法の感度を考えて再検すべきで，典型的な有症者の約95％は抗原の同定が可能である。

⑦陽性抗原には地域差があるので，地域特異性の知識が必要である。最近，ペット（特にネコ，イヌなど）や昆虫（特に蛾など）のアレルギーなどもみられる（表7）。

⑧鑑別すべき非特異的過敏症をもつ鼻炎として好酸球増多性鼻炎と血管運動性鼻炎，local allergic rhinitis（LAR）が挙げられる（表8）。好酸球増多性鼻炎は鼻汁好酸球が増加しているが，皮膚テストおよび血清特異的IgE検査は陰性である。LARも同様に，皮膚テストおよび血清特異的IgE検査が陰性であるが，鼻誘発試験は陽性となり，鼻汁中に抗原特異的IgEが検出される。ただし，鼻誘発試験は市販ディスクの発売中止に伴い施行が困難であり，鼻汁中抗原特異的IgEは実臨床レベルでの検査手法が確立されていない。診断のアルゴリズムを図7に示す。LARはアレルギー性鼻炎の初期病態ではなく，別の病態であると考えられているが，本邦における罹患率を含めた実態は不明である。血管運動性鼻炎は海外では本態性鼻炎とも呼ばれ，鼻汁好酸球検査が陰性で，皮膚テストあるいは血清特異的IgE検査も陰性の鼻炎であり，自律神経のアンバランスが原因という報告もある。その他，加齢性の鼻炎なども鑑別の対象となる。

参考文献

1）奥田　稔：鼻疾患，北村　武編，耳鼻咽喉科学，p.343，文光堂，東京，1985.

2）奥田　稔：鼻アレルギー（第2版）．金原出版，東京，1994.

3）高坂知節：アレルギー性鼻炎　定義，診断，分類，疫学．アレルギーの領域　1998；5：1485-1490.

4）奥田　稔：実地診療におけるアレルギー疾患の臨床，第1回アレルギー疾患治療の新しい流れ（宮本昭正，奥田　稔，吉田彦太郎）．日医雑誌　1999；121：AS1-AS8.

5）西間三馨ほか監修：厚生省花粉症研究班，日本列島空中花粉調査データ集．協和企画，東京，2000.

6）我妻義則ほか：札幌市における6年間（1992～1997年）の空中花粉飛散調査成績．アレルギー　2001；50：467-472.

7）奥田　稔ほか：アレルギー性鼻炎における昆虫アレルギーの全国調査．日耳鼻　2002；105：1181-1188.

8）Tokunaga T, et al.：Novel scoring system and algorithm for classifying chronic rhinosinusitis：the JESREC Study. Allergy　2015；70：995-1003.

9）藤枝重治ほか：好酸球性副鼻腔炎．アレルギー　2015；64：38-45.

10）Minami T, et al.：Regional differences in the prevalence of sensitization to environmental allergens：analysis on IgE antibody testing conducted at major clinical testing laboratories throughout Japan from 2002 to 2011. Allergol Int　2019；68：440-449.

11）Rondon C, et al.：Local Allergic Rhinitis：Allergen tolerance and immunologic changes after preseasonal immunotherapy with grass pollen. J Allergy Clin Immunol　2011；127：1069-1071.

12）Compo P, et al.：Local Allergic Rhinitis：Implication for management. Clin Exp Allergy　2019；49：6-16.

第4章　検査・診断

表7　血清特異的IgE陽性割合の全国分布－内科/耳鼻咽喉科のサンプルデータ（参考文献10より）

	ヤケヒョウヒダニ	コナヒョウヒダニ	スギ	ヒノキ	カモガヤ	ブタクサ	ハンノキ	ヨモギ	イヌ	ネコ	ガ	ユスリカ	ゴキブリ	アスペルギルス	アルテルナリア	カンジダ	マラセチア	ペニシリウム	クラドスポリウム
北海道	45.73	43.83	11.36	8.68	22.25	13.2	28.71	17.53	24.79	24.05	27.66	10.89	9.34	5.27	3.48	11.82	5.54	4.32	2.65
青森	42.24	40.88	42.21	15.6	20.72	12.29	9.63	14.67	15.27	17.35	24.09	9.95	10.34	3.38	2.97	10	4.98	2.95	1.81
岩手	47.64	45.94	61.06	23.73	30.01	18.69	11.57	17.68	17.12	18.96	28.83	14.19	12.2	4.67	3.34	10.73	5.51	4.25	2.09
宮城	48.54	44.29	60.8	25.66	28.95	15.5	9.46	14.11	17.89	18.96	29.59	12.52	12.42	6.14	4.83	12.82	8.65	5.45	3.31
秋田	47.75	42.48	46.53	13.86	22.78	13.94	8.96	16.34	15.16	16.9	26.87	12.31	12.16	3.89	3.59	10.61	5.17	4.75	2.98
山形	40.25	38.74	52.49	16.42	26.35	16.08	8.41	18.29	14.25	15.03	31.03	14.7	10.84	5.2	4.21	12.29	2.88	3.26	1.31
福島	43.09	38.47	60.14	34.21	25.33	17.72	12.34	16.92	17.54	18.37	30.87	12.97	12.4	5.21	4.53	11.16	7.05	5	3.07
茨城	44.7	42.86	62.98	40.27	22.01	15.62	13.38	12.18	16.57	15.02	35.06	17.27	15.48	6.23	6.55	10.86	7.51	4.55	2.87
栃木	44.55	41.41	67.21	48.75	25.31	17.39	17.98	13.06	15.79	16.26	32.43	15.58	14.87	5.91	5.89	11.32	7.8	4.86	3.4
群馬	40.37	41.89	65.24	40.97	32.08	21.92	18.14	16.99	17.64	16.69	31.07	14.29	13.71	6.98	9.82	12.05	6.6	6.22	4.26
埼玉	43.52	41.41	66.38	45.78	28.25	19.54	19.8	14.31	18.18	18.2	33.28	15.47	14.09	7.21	7.51	11.97	7.49	6.64	3.63
千葉	45.69	43.14	63.46	38.01	20.8	15.1	13.82	11.14	17.78	18.05	34.41	14.74	13.62	7.02	6.45	12.5	10.26	5.91	3.09
東京	45.27	46.36	65.07	40.51	19.18	14.21	13.76	10.34	17.38	18.3	32.43	14.06	13.51	6.91	6.15	11.8	10.43	5.85	3.35
神奈川	44.55	43.61	63.07	40.6	19.8	14.93	12.1	11.43	16.89	16.55	33.2	15.78	14.44	7.53	5.52	12.3	8.81	6.62	3.38
新潟	41.71	41.33	49.71	18.69	19.62	13.36	8.65	14.98	14.98	15.11	30.62	14.18	11.99	6.27	4.12	12.74	4.86	4.27	2.47
富山	43.03	39.08	53.83	25.13	30.97	13.42	8.06	14.38	19.8	20.62	31.77	15.17	12.74	7.3	4.03	13.39	9.59	5.65	3.18
石川	41.05	38.11	49.91	25.94	30.2	14.13	9.61	15.09	19	17.97	35.14	15.33	14.2	8.01	4.12	15.61	10.42	7.08	3.05
福井	44.16	44.24	58.55	34.46	28.03	16.17	13.1	16.49	18.89	22.79	33.71	15.41	12.73	6.23	4.48	15.48	8	8.22	3.38
山梨	43.71	40.38	68.68	60.09	24.79	22.67	12.98	22.87	19.47	21.79	32.58	14.14	12.51	7.41	7.45	13.14	7.55	5.16	3.82
長野	42.56	40.56	64.88	49.06	34.38	29.45	15.49	27.98	18.6	20.44	31.48	14	12	6.46	7.94	11	10.91	5.33	3.7
岐阜	43.61	44.44	62.88	39.06	35.45	21.6	13.47	17.27	19.27	18.51	33.54	15.54	14.4	7.83	8	13.55	22.16	6.53	4.95
静岡	43.46	43.51	67.57	53.75	32.82	24.37	17	14	18.62	17.54	33.04	16.81	15.23	8.17	6.73	14.14	8.8	7.19	4.36
愛知	43.22	43.84	60.54	43.99	27.21	20.17	18.28	17.59	20.88	19.44	34.14	15.67	15.62	10.84	8.48	15.54	11.46	8.35	4.95
三重	44.48	42.4	63.89	46.58	35.69	18.3	13.49	16.65	20.89	19.34	32.35	15.12	14.94	9.35	8.44	15.83	9.23	6.79	4.79
滋賀	44.5	46.01	60.46	47.37	31.14	20.03	14.49	18.82	20.46	16.93	34.47	17.52	14.29	8.75	5.88	12.56	10.53	4.83	2.54
京都	43.51	40.96	60.01	46.91	29.88	17.68	10.21	15.37	19.89	18.05	35.51	15.9	15.9	7.52	5.21	13.27	8.79	7.89	3.73
大阪	42.53	43.54	55.31	40.08	30.95	16.72	17.99	16.2	21.41	19.71	33.93	14.52	14.14	9.09	6.24	14.08	11.47	8.46	4.38
兵庫	44.85	44.7	55.03	39.79	24.47	17.03	18.79	14.94	20.63	18.03	31.78	14.03	13.94	7.76	5.97	12.71	12.78	7.95	3.95
奈良	46.08	42.09	56.01	32.78	29.71	19.47	15.07	18.67	22.63	18.77	35.99	16.76	15.76	9.4	6.77	14.77	9.92	8.62	4.24
和歌山	42.71	45.07	55.65	37.7	30.97	18.17	12.28	16.03	21.24	18.77	36.37	17.74	16.61	8.86	6.56	13.96	6.78	7.16	5.27
鳥取	46.52	41.59	52.33	32.97	30.35	16.94	14.49	16.96	19.97	20.29	37.69	14.78	15.19	9.51	5.41	14.58	6.86	8.04	3.46
島根	45.76	44.02	46.56	37.88	31.14	18.06	10.21	18.17	18.54	16.6	34.78	19.26	18.87	6.98	5.93	13.43	9.33	6.5	3.2
岡山	44.62	44.55	57.18	42.93	29.88	18.87	17.99	18.9	20.68	18.08	40.08	20.33	16.84	9.57	6.84	15.97	12.04	8.57	5.34
広島	44.29	44.29	53.45	43.09	30.95	18.07	18.79	23.38	22.35	19.98	34.56	17.37	15.91	8.92	7.92	14.68	9.29	6.5	6.05
山口	46.08	42.09	63.5	43.5	24.47	16.68	15.07	14.94	21.73	17.96	37.24	17.83	18.07	8.24	5.88	14.67	9.61	7.82	3.84
徳島・香川	42.82	41.72	55.03	32.78	33.04	19.34	13.49	18.67	22.63	18.77	37.72	19.13	16.2	8.86	6.77	13.59	6.7	8.23	4.24
愛媛	45.56	45.07	52.33	30.97	30.97	18.17	12.28	16.03	21.24	19.31	36.37	17.74	16.61	7.82	6.56	13.96	6.78	7.16	5.03
高知	49.86	50.98	65.01	46.4	17.57	17.29	10.13	12.92	20.94	21.28	38.73	20.25	21.45	7.31	6.2	12.81	8.18	5.45	3.54
福岡	49.33	49.47	55.11	39.36	26.36	15.5	8.44	12.92	21.74	19.59	35.28	16.84	15.76	6.97	6.41	13.6	9.93	6.72	3.89
佐賀・熊本	43.08	44.08	46.42	35.94	24.45	15.5	6.85	11.94	18.52	15.89	37.17	19.5	20.38	9.11	5.27	11.68	6.37	6.07	2.93
長崎	45.08	42.7	52	37.06	20.29	14	8.06	15.29	20.19	18.14	36.35	18.81	19.3	8.22	4.82	13.91	9.29	7.9	5.15
大分・宮崎	47.22	48.36	63.29	38.78	27.31	16.27	10.37	12.88	18.7	19.6	36.27	17.54	18.66	7.29	5.18	13.34	6.26	7.92	4.02
鹿児島	55.97	55.26	50.1	27.4	19.03	13.46	7.53	11.35	19.53	18.96	39.12	19.97	20.84	7.96	5.12	12.96	7.74	5.69	3.47
沖縄	56.54	49.83	11.26	8.21	8.67	10.94	3.63	8.99	20.67	17.76	41.03	22.93	22.55	5.45	3.26	11.39	10.84	5.62	2.81

（Minami T, et al.: Allergol Int　2019；68：440-449.）

表8　アレルギー性鼻炎と非アレルギー性鼻炎の鑑別

	アレルギー性鼻炎			非アレルギー性鼻炎	
	通年性アレルギー性鼻炎	花粉症	LAR	好酸球増多性鼻炎	血管運動性鼻炎
発症年齢	小児 （3～10歳代）	青年 （10～20歳代）	小児～青年 （3～20歳代）	成人	成人
性	男性≧女性	男性＜女性	男性＜女性	男性≦女性	男性≦女性
鼻症状	典型	典型	典型	非典型	非典型
他のアレルギー合併	多い	多い	多い	眼症状少ない	眼症状少ない
鼻汁好酸球	増加	増加	様々	増加	陰性
皮膚テスト 血清特異的IgE検査	陽性	陽性	陰性	陰性	陰性
鼻過敏性	亢進	亢進	亢進	やや亢進	やや亢進

LAR：local allergic rhinitis

（鼻アレルギー診療ガイドライン2024）

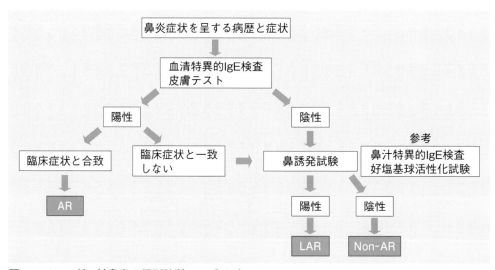

図7　アレルギー性鼻炎の鑑別診断アルゴリズム
LAR：local allergic rhinitis

（鼻アレルギー診療ガイドライン2024）

13）Buntarickpornpan P, et al.：The prevalence and clinical characteristics of local allergic rhinitis in Thai children. J Allergy Clin Immunol　2015；**135**：AB282.

14）Terada T, et al.：Diagnosis and treatment of local allergic rhinitis. Pathogens　2022；**11**：80.

15）Ishida M, et al.：Possibility of local allergic rhinitis in Japan. Am J Rhinol Allergy　2020；**34**：26-34.

表9　アレルギー性鼻炎症状の重症度分類

程度および重症度			くしゃみ発作*または鼻漏**				
			++++ 21回以上	+++ 11〜20回	++ 6〜10回	+ 1〜5回	− +未満
鼻閉	++++	1日中完全につまっている	最重症				
	+++	鼻閉が非常に強く口呼吸が1日のうちかなりの時間ある		重症			
	++	鼻閉が強く口呼吸が1日のうちときどきある			中等症		
	+	口呼吸は全くないが鼻閉あり				軽症	
	−	鼻閉なし					無症状

*1日の平均発作回数，**1日の平均鼻かみ回数

（鼻アレルギー診療ガイドライン2024）

III・分類（Classification）

原因抗原，発症時期，病型，症状の強さにより以下の分類が可能である。

1．原因抗原侵入経路と抗原

抗原は吸入性，食物性（経口性），接触性（経皮膚性），その他血行性（経静脈性）に分けられる。このうち吸入性が大部分で，なかでも花粉，室内塵ダニ，真菌類が多い。食物抗原も吸収されて血行性に鼻粘膜に達するので，薬物の注射のような血行性と同じように考えてよいが，いずれも鼻症状はないか，あってもごく軽度である。接触性では石鹸中の成分（加水分解コムギ）など，日常使用しているもので生じる可能性がある。

2．好発時期

季節性（多くは花粉）と通年性（ダニ，ペット，真菌類など）に分けられるが，いくつかの花粉の重複があると通年性になることもある。花粉とダニとの重複が増加傾向にあり，この場合も通年性のダニアレルギーのみと判断されやすい。

3．病　型

くしゃみ，鼻漏，鼻閉の3主徴のうち，くしゃみ，鼻漏の程度は強く相関し，その発症メカニズムに共通点が存在するので，両者をまとめてくしゃみ・鼻漏型とし，鼻閉が他の症状に比し特に強いときは鼻閉型とする。両型がほぼ同じ場合は充全型とする。

4．重症度

各症状の程度，検査成績の程度，視診による局所変化の程度などで患者の重症度を決定する。症状はくしゃみ，鼻漏と鼻閉の強さの組み合わせで決める（表9）。最重症4点，重症3点，中

表10 アレルギー性鼻炎重症度のスコア化（症状スコア，薬物スコア，症状薬物スコア）

分類の目的	薬物スコア
1．アレルギー性鼻炎の重症度の評価 2．個人，グループにおける治療効果，経過の評価 3．薬効評価 4．その他	以下，点数/日をそれぞれの薬物投与に与え，併用の場合は合計する。1日常用量を標準とする。量は過大過小にならない限り同スコアとする。同種同効果の薬剤の併用は合計点を与えるが矛盾する場合は適宜加減できる。さらに遅効性薬物の投与初期，持続性薬物の投与中止後の加点，投与期間による調整などの問題があるが，現時点では単純化する。経口ステロイド薬については，抗炎症作用換算量に従い換算し，プレドニゾロン1mgを1点とする。

分類の方針

1．症状を主な対象とし，他覚的所見を参考とする。しかし将来は両者の統合に努力する。
2．症状のうち，鼻と眼症状を現段階では別に取り扱う。
　・鼻症状はくしゃみ，鼻漏，鼻閉を主とし，くしゃみと鼻漏の程度は相関が大のため，どちらか強い方をとる。
　・眼症状はかゆみ，流涙を主とし，どちらか強い方をとる。眼科学会の分類と整合性を図る。
3．症状程度分類は，原則としてその強さと頻度の組み合わせとし，症状の表現はできるだけ客観的とする。必要により病型分類を加える。
4．薬物療法が関与するときは，薬物スコア，症状薬物スコアを用いることができる。
5．対象はアレルギー日記記録可能な条件をもつ者とする。
6．不適切な治療の効果評価は望ましくない。
7．全体として単純，客観性を尊重する。

スコア例

第1，第2世代抗ヒスタミン薬，遊離抑制薬	1点
鼻噴霧用ステロイド薬	2点
点鼻用血管収縮薬	1点
点眼用遊離抑制薬	1点
点眼用ステロイド薬（例：0.02%フルメトロン）	2点
アレルゲン免疫療法　維持量前 0.5点，維持量後	1点
プソイドエフェドリンと抗ヒスタミン薬の配合剤（例：ディレグラ®）	2点
経口ステロイド薬と抗ヒスタミン薬の配合剤（例：セレスタミン®）	3点

　その他の薬剤は上に準じて適宜点数化し，薬剤名を付記する。

症状別重症度分類

　鼻症状は従来の奥田分類に最重症を加えた変法を必要により採用する。

症状薬物スコア

使用薬剤と症状重症度を加算する。

症状重症度スコア

　鼻症状分類は従来の奥田分類の変法を用い，最重症 4点，重症 3点，中等症 2点，軽症 1点の症状スコアを与える。現在，治験などを中心に3症状スコアを合計した3総鼻症状スコア（3TNSS）などを用いることもある。

予後判定基準

　薬物療法の短期予後は1〜4週以上，長期予後は1〜3カ月以上，花粉症は3シーズン以上，アレルゲン免疫療法は1〜3年以上，さらに治療中止5年以上，手術療法は3年以上の観察を必要とする。ただし，あげられた数字は今後さらに検討を要する。
　このほか，症状スコアの減少を他剤（プラセボ）などと比較することによって効果判定とすることもある。

　長期寛解（臨床的治癒）とは，治療中止後，医療を5年以上（5年の数字は今後要検討）受けることなく，急性増悪もいわゆるかぜ程度の回数，苦痛，病悩日数で治癒し，多少の症状があっても普通の生活ができることを，便宜的に指す。
　この場合，鼻誘発試験，鼻汁好酸球増多の陰性化，鼻鏡所見の正常化が望ましい。

病型分類

　鼻症状をくしゃみ・鼻漏型，鼻閉型，充全型に各症状の強さにより分類する。

（鼻アレルギー診療ガイドライン2024）

等症2点，軽症1点とスコア化することがある。

　各症状の強さは，くしゃみは1日の発作回数，鼻汁は1日の鼻かみ回数，鼻閉は口呼吸の時間で分類し，症状の程度によって－から＋＋＋＋までのランクを用い，必要によってはスコア化

し0〜4点を与える。また，臨床試験では3症状以外に，「鼻のかゆみ」を加えて評価することもあり，4症状スコアを合計した4 total nasal symptom score（4TNSS）などを用いることもある。さらに，症状薬物スコア（total nasal symptom-medication score）での評価も一般的である（表10）。このほか，生活の質（quality of life：QOL）の簡単な表現として日常生活の支障度も加える。

　局所所見の視診は鼻腔内検査（鼻鏡，内視鏡）が中心になる。粘膜蒼白・腫脹，鼻漏がアレルギー性鼻炎の特徴である。鼻粘膜所見の程度分類は表3（p.20）に示されている。赤色または充血所見は急性炎症や急性アレルギー（例えば花粉飛散ピーク時の反応），膿性鼻汁は細菌感染もしくはウイルス感染を示唆する。

　アレルギーの検査成績の程度分類も表5（p.22）に示されている。

参考文献

1）奥田　稔：鼻アレルギーの重症度分類．耳喉　1983；**55**：939-945.
2）奥田　稔ほか：アレルギー性鼻炎の新しい重症度分類—スコア化の試み．アレルギーの領域　1997；**4**：97-102.
3）大久保公裕ほか：アレルギー性鼻炎に対する薬物治療—symptom-medication scoreによる評価．アレルギーの領域　1998；**5**：15-23.
4）奥田　稔ほか：鼻正常者の鼻症状．アレルギー　2005；**54**：551-554.
5）Okubo K, et al.：Efficacy and safety of fluticasone furoate nasal spray in Japanese children with perennial allergic rhinitis：a multicentre, randomized, double-blind, placebo-controlled trial. Allergol Int　2014；**63**：543-551.

5．QOLによる評価（患者満足度を含む）

　アレルギー性鼻炎症状の管理は，適切な薬物療法により可能となったが，治癒を得るのは困難な慢性疾患であることから，QOLの向上を治療目標に求める傾向が強い。世界保健機関（World Health Organization：WHO）では，個人の生活文化や価値観をもとに，人生の内容や生活の質つまりQOLと定義している。これを医療に適用し，調査するには適切な調査票が必要である。QOL評価は，患者の主観に基づく調査であることに留意すべきである。

　全般的な健康状態をチェックするための調査票では，SF-36（Short Form；John Ware）やSF-8の利用が多く，アレルギー性鼻炎疾患特異的調査票にはRhinoconjunctivitis Quality of Life Questionnaire（RQLQ：Juniper）がある。しかし，日本人に特化した調査票が必要であることから，奥田を中心とする日本アレルギー性鼻炎QOL調査票作成委員会によってJapanese Rhinoconjunctivitis Quality of Life Questionnaire（JRQLQ）が2002年に作成された（図8）。

　今後は，症状の程度による重症度分類に加えて，個人的要素の強いQOLによる分類も必要となる。また，QOLを治療効果の判定に用いる場合，個々の患者から医師への医療の質に関する評価をも含むことになる。米国では医療社会学として，そのQOLと同様に患者満足度が扱われている。日本の医療社会学でもその認知はされており，臨床でもその重要性は高まっている。

日本アレルギー性鼻炎標準QOL調査票（JRQLQ No1）

アレルギー性鼻炎（花粉症を含む）患者さんへ

現在の医療では、体の病気を治すだけでなく、患者さんがよりよい生活ができるよう治療すべきという考えが広まっています。そこであなたの病気がどれ位生活を障害し、治療により改善されるかを調査するものなので、ご協力下さい。これは診察上のプライバシーは固く守られます。

以下の問いは難しく考えると答えられないかも知れませんが、あなたの印象で答えてけっこうです。

I 最近1～2週間でもっともひどかった鼻・眼の症状の程度について✓印をそれぞれつけて下さい。

鼻・眼の症状	0 症状なし	1 軽 い	2 やや重い	3 重 い	4 非常に重い
水っぱな					
くしゃみ					
鼻づまり					
鼻のかゆみ					
目のかゆみ					
涙目（なみだめ）					

II 最近1～2週間でもっともひどかったQOL質問項目の程度について✓印をそれぞれつけて下さい。Iの症状（鼻・眼）と関係がないことがはっきりしている項目はなしの□に×印をして下さい。

QOL質問項目	0 なし（いいえ）	1 軽 い	2 やや ひどい	3 ひどい	4 とてもひどい
1. 勉強・仕事・家事の支障（さしさわり）					
2. 精神集中不良					
3. 思考力の低下（考えがまとまらない）					
4. 新聞や読書の支障（不便）					
5. 記憶力低下（ものおぼえが悪い）					
6. スポーツ、ピクニックなど野外生活の支障					
7. 外出の支障（控えがち）					
8. 人とつき合いの支障（控えがち）					
9. 他人と会話・電話の支障（さしさわり）					
10. まわりの人が気になる					

裏につづく

図8 日本アレルギー性鼻炎標準QOL調査票（JRQLQ No1）

11. 睡眠障害（眠り良くない）
12. 倦怠（けんたい）感（だるい）
13. 疲労（つかれやすい）
14. 気分が晴れない
15. いらいら感
16. ゆううつ
17. 生活に不満足

III 総括的状態
最近1～2週間のあなたの状態（症状、生活や気持を含めて）全般を表わす顔の番号に○印をつけて下さい。

0 晴ればれ　1　2　3　4 泣きたい

記入もれはありませんか？　今一度みて下さい。ご協力ありがとうございました。

●これ以下は記入しないで下さい。

患者名　　カルテNo.　　年齢　　歳　性別：男・女
施設名　　担当医師　　記入日：平成　年　月　日
診断：季節性（抗原：　）　*治療（予防、薬物、免疫療法、手術）
　　　通年性（抗原：　）　*治療（予防、薬物、免疫療法、手術）
　　　非アレルギー（病名：　）　*治療（　）
QOLスコア：なし0点、軽い1点、中くらい2点、重い3点、非常に重い4点
合計スコア　　点
領域別スコア
① 1～5　日常生活　点
② 6、7　戸外行動　点
③ 8～10　社会生活　④ 11　睡眠　点
⑤ 12、13　身体　⑥ 14～17　精神生活　点
[備考] 記入時の治療の詳細その他を記して下さい。

（禁 無断複製. 模写. 転載. 改変）
（鼻アレルギー診療ガイドライン2024）

参考文献

1) Bousquet J, et al.：ARIA Workshop Group：World Health Organization Allergic Rhinitis and its Impact on Asthma. J Allergy Clin Immunol　2001；**108**（Suppl. 5）：S147-S334.
2) 大久保公裕ほか：アレルギー性鼻炎患者のQOL．鼻アレルギーフロンティア　2003；**3**：18-23.
3) 奥田　稔ほか：アレルギー性鼻炎QOL調査票の開発．アレルギー　2003；**52**（補冊）：1-87.
4) 奥田　稔ほか：アレルギー性鼻炎患者満足度調査票の開発．アレルギー　2004；**53**：1195-1202.
5) 奥田　稔：ARIA pocket guideとわが国のガイドラインの比較.アレルギー・免疫 2004；**11**：87-92.
6) Okuda M, et al.：Comparative study of currently developed two rhinoconjunctivitis quality of life questionnaire in Japan. Acta Otolaryngol　2005；**125**：736-744.
7) Okubo K, et al.：Fexofenadine improves the quality of life and work productivity in Japanese patients with seasonal allergic rhinitis during the peak cedar pollinosis season. Int Arch Allergy Immunol　2005；**136**：148-154.
8) Higaki T, et al.：Determining minimal clinically important differences in Japanese cedar/cypress pollinosis patients. Allergol Int　2013；**62**：487-493.

＜参考＞ARIAについて

　2001年に各国のアレルギー研究者37名が「アレルギー性鼻炎とその気管支喘息への影響」（Allergic rhinitis and its impact on asthma：ARIA）というコンセンサスレポートをまとめ，これをWHOが推奨する形で発表した。アレルギー性鼻炎に対する国際的ガイドラインの基準ともとらえられており，エビデンスに基づいた診断とアレルギー性鼻炎の気管支喘息への影響とそのマネージメントについて広く周知することとなった。

　2008年に改訂版が発行され，2010年版ではエビデンスに立脚した推奨度を提示するGrading of recommendation, assessment, development, and evaluation（GRADE）システムを適用したガイドラインとなり，現在は患者中心の視点を重視し，モバイルテクノロジー（Mobile airways sentinel network：MASK）を用いたリアルな患者情報の取得を行い，統合型ケアパスウェイ（integrated care pathway）の推進，さらにはアレルギー性鼻炎および関連した気管支喘息のマネージメント改善戦略（change management strategy）や，QOL，労働生産性，睡眠に与える影響などにフォーカスが当てられ，患者を含む様々な団体が参加している。得られたモバイル情報は，患者自身の自己管理に活用されると同時に，日常生活における重症度やアドヒアランスなどの分析に使用され,治療ステップの妥当性も検証されている（MASKは日本でもMASK-airアプリとして使用可能）。

　ARIAでは，アレルギー性鼻炎をpersistent（持続性：週4日以上で連続4週間以上症状を有する）とintermittent（間歇性：週4日未満，または連続4週間未満の症状）に分類している（**表11**）。また，重症度は従来，睡眠障害，日常生活・レジャーおよびスポーツにおける障害，学業や仕事の障害，煩わしい症状，の4項目のいずれか1つの有無によって中等症・重症と軽症を分けていたが，本邦では10cm長のVisual analogue scale（VAS）を用いた症状評価を重視し，VASが5以上か5未満かによって，治療のステップアップ，ステップダウンを検討するアルゴリズムを提唱しており，その妥当性も前述したように検証されている。薬剤については，経口あるいは経鼻抗ヒスタミン薬と比較し，鼻噴霧用ステロイド薬の推奨度が高くなっている。ま

表11　ARIAによるアレルギー性鼻炎の分類

1．"間歇性"とは，病状の存在が以下の場合である
　　週に4日未満みられる
　　または，連続4週間未満みられる
2．"持続性"とは，症状の存在が以下の場合である
　　週に4日以上出現し，
　　かつ，連続4週間以上持続する
3．"軽症"とは，以下の問題が存在しない場合である
　　睡眠障害
　　日常活動，レジャー，および/またはスポーツにおける障害
　　学業や仕事の障害
　　煩わしい症状（煩わしくない程度の症状はあってもよい）
4．"中等症/重症"とは，以下の問題が1つ以上ある場合である
　　睡眠障害
　　日常活動，レジャー，および/またはスポーツにおける障害
　　学業や仕事の障害
　　煩わしい症状

（鼻アレルギー診療ガイドライン2024）

た，経口抗ヒスタミン薬と鼻噴霧用ステロイド薬の併用療法と鼻噴霧用ステロイド薬単独使用との比較においては，季節性アレルギー性鼻炎では，いずれも選択可であるが，通年性アレルギー性鼻炎では，併用療法よりも鼻噴霧用ステロイド薬単独使用が推奨されている。ただし，いずれもエビデンスレベルが低いため，条件付き推奨となっている。本邦では未発売の鼻噴霧用ステロイド・抗ヒスタミン配合薬については，その配合薬の限定した組み合わせに限り，有効性が高く評価されている。

　なお，現在，ARIAのグループはヨーロッパアレルギー学会（European Academy of Allergy and Clinical Immunology：EAACI）の鼻科グループとして活動している。

参考文献

1）Bousquet J, et al.：Allergic Rhinitis and its Impact on Asthma（ARIA）2008 update. Allergy 2008；**63**（Suppl. 86）：8-160.
2）Bousquet J, et al.：ARIA Workshop Group：World Health Organization. Allergic Rhinitis and its Impact on Asthma. J Allergy Clin Immunol　2001；**108**（Suppl. 5）：S147-S334.
3）Bousquet J, et al.：Allergic rhinitis and its impact on asthma. J Allergy Clin Immunol　2001；**108**（Suppl. 5）：S147-S334./ARIA日本委員会監修：ARIA2008《日本語版》．協和企画，2008.
4）Sasaki K, et al.：Cedar and cypress pollinosis and allergic rhinitis：Quality of life effects of early intervention with leukotriene receptor antagonists. Int Arch Allergy Immunol　2009；**149**：350-358.
5）Bozek JL, et al.：Allergic rhinitis and its Impact on Asthma（ARIA）guidelines：2010 revision. J Allergy Clin Immunol　2010；**126**：466-476.
6）Gotoh M, et al.：Severity assessment of Japanese cedar pollinosis using the practical guideline for the management of allergic rhinitis in Japan and the allergic rhinitis and its impact on asthma guideline. Allergol Int 2013；**62**：181-189.

7) Bozek JL, et al. : Allergic Rhinitis and its Impact on Asthma（ARIA）guidelines-2016 revision. J Allergy Clin Immunol 2017 : **140** : 950-958.

8) Bousquet J, et al. : Pilot study of mobile phone technology in allergic rhinitis in European countries. The MASK-rhinitis study. Allergy 2017 : **72** : 857-865.

9) Bousquet J, et al. : The Allergic Rhinitis and its Impact on Asthma（ARIA）score of allergic rhinitis using mobile technology correlates with quality of life : the MASK study. Allergy 2018 : **73** : 505-510.

10) Bousquet J, et al. : The Allergic Rhinitis and its Impact on Asthma（ARIA）Phase 4（2018）: Change management in allergic rhinitis and asthma multimorbidity using mobile technology. J Allergy Clin Immunol 2019 : **143** : 864-879.

11) Bousquet J, et al. : Next-generation allergic rhinitis and its impact on asthma（ARIA）guidelines for allergic rhinitis based on grading of recommendations assessment, development and evaluation（GRADE）and real-world evidence. J Allergy Clin Immunol 2020 : **145** : 70-80.

第4章 検査・診断

第 5 章

治療

Treatment

第5章 治療

Treatment

Ⅰ・目　標（Therapeutic goal）

治療の目標は，患者を次の状態にもっていくことにある。

①症状はない，あるいはあってもごく軽度で，日常生活に支障のない，薬もあまり必要ではない状態。

②症状は持続的に安定していて，急性増悪があっても頻度は低く，遷延しない状態。

③抗原誘発反応がないか，またはその反応が軽度の状態。

症状の強さは患者により異なるが，重症度分類で軽度以下なら多くは薬物投与なしで普通の生活ができる。しかし，ときに急性増悪があり，その際には薬物の投与が必要となる。症状の安定についても具体的な定義は難しいが，通年性アレルギーで，年に数回，2週間以内程度の症状増悪なら安定といえる。鼻誘発試験の陰性化も寛解状態判定の具体的パラメーターになる。

参考文献

1 ）Mygind N, Naclerio R, Ed.：Allergic and non-allergic rhinitis—Clinical aspects—. Munksgaard, Copenhagen, 1993.
2 ）伊藤博隆：アレルギー性鼻炎は治るか．日鼻誌　1997；**36**：106-107.
3 ）Canonica G, et al.：The impact of allergic rhinitis on quality of life and other airway diseases. Allergy　1998；**57**（Suppl. 41）：7-31.
4 ）今野昭義ほか：花粉症患者の治療complianceと満足度．アレルギー科　2002；**13**：149-158.

Ⅱ・治療法（Treatments）（表12）

アレルギー性鼻炎の治療法は患者とのコミュニケーション，抗原除去と回避，薬物療法，アレルゲン免疫療法，手術療法に分けられる。抗原除去と回避は患者の闘病への主体性を促すためにも重要で，完全な除去，回避は不可能でも減量に努力させるよう指導する。

近年の治療上の進歩は，新しいアレルギー性鼻炎治療薬の開発，市販にある。しかし薬物療法は対症療法または発作予防にとどまり，根治療法には至っていない。症状改善のために用いても，投与を中止すれば短期間で再発する。長期予防的投与を行いつつ，寛解を待つことは小児気管支喘息などと異なりアレルギー性鼻炎，特に花粉症では困難である。抗原検査なしに，無方針に薬物の投与のみを安易に続けるのは控えるべきである。

現在，臨床的治癒または長期寛解を期待できる唯一の方法は，アレルゲン免疫療法である。治療終了後，その効果は長期に続く。しかし本邦では，これに用いるエキスの数が限られ，皮下免疫療法（SCIT）では長期通院を要し，少なくとも2〜3年の継続治療や注射の疼痛のため脱落する患者がいたり，効果発現が遅く，まれに蕁麻疹，顔面浮腫，アナフィラキシーショック

表12　治療法

①患者とのコミュニケーション
②抗原除去と回避 　　ダニ：清掃，除湿，防ダニフトンカバーなど 　　花粉：マスク，メガネなど
③薬物療法 　　ケミカルメディエーター受容体拮抗薬(抗ヒスタミン薬，抗ロイコトリエン薬， 　　抗プロスタグランジンD_2・トロンボキサンA_2薬）（鼻噴霧用，経口，貼付） 　　ケミカルメディエーター遊離抑制薬(鼻噴霧用，経口) 　　Th2サイトカイン阻害薬(経口) 　　ステロイド薬(鼻噴霧用，経口) 　　生物学的製剤(抗IgE抗体) 　　血管収縮薬(α交感神経刺激薬)（鼻噴霧用，経口） 　　その他
④アレルゲン免疫療法(皮下，舌下)
⑤手術療法 　　鼻粘膜変性手術：下甲介粘膜レーザー焼灼術，下甲介粘膜焼灼術など 　　鼻腔形態改善手術：内視鏡下鼻腔手術Ⅰ型，内視鏡下鼻中隔手術Ⅰ型など 　　鼻漏改善手術：経鼻腔的翼突管神経切断術など

（鼻アレルギー診療ガイドライン2024）

などの全身症状を起こすことがある。また，増量法などに経験的な要素が強く，一般の普及に至っていない。この点を改善するため舌下免疫療法(SLIT)が導入された。副作用は皆無ではないため，十分な管理は必要であるが，家庭内で行うことができ，効果も高い。

　手術療法は反復する発作の結果，粘膜が不可逆的に変化し薬物療法に抵抗する症例に用いられる。再燃も避けられず，アレルギーの治療を継続する必要がある。

1．患者とのコミュニケーション

　アレルギー性鼻炎は慢性疾患であり，長期間治療に取り組むことが重要である。アレルギー性鼻炎症状があっても必ずしも受診行動につながるとは限らず，重症化してから受診する症例も見受けられる。

　診察時には受診に至る経過を考慮し，患者の話によく耳を傾けるよう努める。苦痛に感じている症状だけでなく，過去の病歴，治療歴や，今回の治療に何を求めているのかを丁寧に問診する。患者の治療への思いについて共感し，患者とのパートナーシップを確立する。パートナーシップは小児の場合は，患者本人と保護者が対象となる。最初にアレルギー性鼻炎発症のメカニズム，検査結果，治療法，薬剤の使用法，合併症，予後などを十分に患者に説明する。治療に対する理解を促し，治療開始時に患者と相談しながら目標を設定する。通院中の治療行動を強化し，長期間継続できるようにするためには，患者への教育が重要である。アドヒアランスの向上には，鼻アレルギー日記(図9)の記入，規則的通院，日常生活の改善，自身での抗原の認識と除去など，積極的に患者が参加できる取り組みが有用である。患者の状態の把握には診察時に問診票(表13)を利用するとよい。近年，アレルギー性鼻炎と気管支喘息のための次世代

書き方は下記の説明と太わく内の記入例を参考にしてください。

日付（天候）		1 日（晴）			晴，曇，雨，風などを書いてください。
	時刻	朝	昼	夜	朝，昼，夜の区別はおよそで結構です。
症状	くしゃみ	4	1	3	くしゃみの発作の回数です。例えばくしゃみ 3 つ続いても 1 回の発作と数えます。
	鼻みず	3	0	3	鼻をかんだ回数を書いてください。
	鼻づまり	2+	－	－	1 日中完全に鼻がつまっている（4＋），ほとんど鼻で息ができないときは（3＋），鼻で息がしにくい（2＋），少し鼻がつまる（＋），つまらないときは（－）です。
	眼のかゆみ	－	－	－	眼がかゆくてたまらないときは（3＋），かなりかゆい（2＋），少しかゆい（＋），気にならないときは（－）です。
	日常生活の支障度		＋		仕事が手につかないほど苦しいときは（3＋），苦しい（2＋），少し苦しいが仕事にあまりさしつかえない（＋），支障がないときは（－）です。
治療	治療		○		医療機関で治療を受けたとき○印を記入してください。
	その他		服 薬		服薬（のみぐすり），点眼（めぐすり），鼻洗浄など，自宅で行った治療を具体的に書いてください。
その他	そのほかに気づいたこと		気管支喘息 じんましん		そのほか，ふだんと変わったことがあったら書いてください。
	今週のぐあい	あてはまるところに○をつける	非常に良かった　　良かった　　少し良かった　　変わらなかった　　悪かった		

記入欄

日付（天候）		日（　）			日（　）			日（　）			日（　）			日（　）			日（　）			日（　）		
	時刻	朝	昼	夜	朝	昼	夜	朝	昼	夜	朝	昼	夜	朝	昼	夜	朝	昼	夜	朝	昼	夜
症状	くしゃみ																					
	鼻みず																					
	鼻づまり																					
	眼のかゆみ																					
	日常生活の支障度																					
治療	治療																					
	その他																					
その他	そのほかに気づいたこと																					
	今週のぐあい	非常に良かった			良かった			少し良かった			変わらなかった				悪かった							

この日記は，症状のないときも必ず書いてください。

（鼻アレルギー診療ガイドライン2024）

図9　鼻アレルギー日記の1例

　　ARIAケアパスとして，モバイルアプリの開発がなされており，患者の状態の把握に対して期待される。
　　鼻噴霧用ステロイド薬はアドヒアランスが不良に陥りやすく，治療継続できていない症例が多いことが報告されている。患者には継続治療の重要性や，鼻噴霧用ステロイド薬の安全性を

表13　アレルギー性鼻炎の問診票

この問診票は治療に際して参考となるものです。あなたに満足のいく治療が得られるためによろしくご記入ください。

質問に対しては｛　　　｝内のあてはまるものを○で囲み，（　　　）内には適当な言葉を記入してください。

記入日　　　　年　　　　月　　　　日
氏名　　　　　　　　　　　年齢（　　　）　　　性別｛男，女｝

1．現在の症状について教えてください。
　①くしゃみ回数｛連続して起こる場合は1回として｝
　　｛ア．21回以上　イ．11〜20回　ウ．6〜10回　エ．1〜5回　オ．0回｝
　②鼻かみ回数｛連続してかむ回数は1回として｝
　　｛ア．21回以上　イ．11〜20回　ウ．6〜10回　エ．1〜5回　オ．0回｝
　③鼻づまり
　　｛ア．1日中完全につまる　イ．非常に強くて口呼吸をかなりする
　　ウ．強くて口呼吸を時々する　エ．少しつまるが口呼吸はない　オ．ない｝
2．これまでにこれらの症状に対して治療を受けたことはありますか。
　｛ア．ない　イ．市販薬　ウ．医療機関｝
　　期間は（　　　　　　　　　　）
3．年間を通して症状は変化しますか。
　｛ア．1年中同じ　イ．1年中あるが季節で変化する　ウ．ある季節だけ症状が出る｝
4．3でイと答えた人に尋ねます。症状が悪化する月に○をつけてください。
　｛1，2，3，4，5，6，7，8，9，10，11，12月｝
5．3でウと答えた人に尋ねます。症状が現れる月に○をつけてください。
　｛1，2，3，4，5，6，7，8，9，10，11，12月｝
6．症状の始まったのは何歳からですか。
　（　　　　　　）歳
7．今までアレルギー性の病気にかかったことがありますか。
　｛ア．気管支喘息　イ．アトピー性皮膚炎　ウ．じんましん　エ．薬のアレルギー｝
8．かぜ薬をのんで眠くなったことはありますか。
　｛ア．ある　イ．ない｝
9．以前に治療されたときの薬の名前がわかれば記入してください。
　（　　　　　　　　　　　　　　　　）
　　その薬には満足しましたか｛ア．はい　イ．いいえ｝

（鼻アレルギー診療ガイドライン2024）

第5章　治療

十分に説明する必要がある。

　舌下免疫療法では自宅で毎日服用を必要とするため，長期間のアドヒアランスの向上が求められる。定期的にアドヒアランスについてアセスメントし，ノンアドヒアランスが起こっている場合には，治療に対する認識不足がないかを確認し，問題が生じているときは対処法を相談する。治療について患者独自の考え方をもつことで生じる，意図的なノンアドヒアランスの場合は，改めて患者の思いを共有し，目標設定の変更などについて話し合う。

　このように様々な状況を想定し，対応できるようにするには，医療従事者側もコミュニケー

ションスキルを身につけることが望ましい。治療効果のモニタリングや，アドヒアランス不良に対する対応などは，治療開始後も継続的に行う必要がある。気管支喘息などの他のアレルギー疾患では，医師以外の看護師や薬剤師などの職種とともに患者教育を行う重要性が示されている。

参考文献

1）市村恵一：花粉症における患者とのパートナーシップ. JOHNS 2002；**18**：79-83.
2）黒野祐一：アレルギー性鼻炎診療における患者とのコミュニケーションの取り方. 現代医療 2002；**34**(Suppl. Ⅱ)：1181-1187.
3）Pinnock H, Sheikh A：Meeting the information needs of patients with allergic disorders：partnership is the key. Clin Exp Allergy 2004；**34**：1333-1335.
4）市村恵一ほか：患者視点，患者満足度の観点から考える花粉症治療. 診療と新薬 2009；**46**：127-132.
5）Bousquet J, et al.：Next-generation ARIA care pathways for rhinitis and asthma：a model for multimorbid chronic diseases. Clin Transl Allergy 2019；**9**：44.
6）今野昭義：【患者満足度を上げる花粉症診療 国民病をどう対処する？患者から受ける疑問を中心に解説します】診断・治療 花粉症診療における現状の問題点とその対応. 治療 2011；**93**：365-370.
7）Bender BG：Motivating patient adherence to allergic rhinitis treatments. Curr Allergy Asthma Rep 2015；**15**：10.
8）Steven GC：Shared decision making in allergic rhinitis：An approach to the patient. Ann Allergy Asthma Immunol 2020；**125**：268-272.

2．抗原除去と回避

アレルギー性鼻炎（含花粉症）の寛解は気管支喘息などに比べ比較的少ない。特に，スギ花粉症の寛解率は10数％とされている。抗原除去と回避に関しては，掃除や寝具の洗濯によるアレルゲン除去が大切である。通年性アレルギー性鼻炎患者に対する室内塵の回避についてのコクランシステマティックレビューでは，殺ダニ剤が最も有望であるとの結果であるが，ダニが死滅したとしてもアレルゲンの活性が残存することや，人体への影響もあり，殺ダニ剤の使用は勧められない。防ダニカバーやエアフィルターなどは，単独ではなく併用して用いることが勧められている。日本は高温多湿であり，除湿器を用いて室内の温度，湿度を上げないことも，室内塵ダニの減量に効果的である（**表14**）。ただし，これら抗原回避対策の治療効果予測の検討はいまだ十分ではない。

スギ花粉の飛散に対する制御は難しく，患者の曝露を完全に避けることは不可能に近い。スギ花粉情報の精度はいまだ不十分だが，患者指導の参考になる。花粉の飛散が多い日の外出を控え，外出時にはマスク，メガネを使う。帰宅時は玄関で衣服についた花粉を払い，室内に持ち込まないようにする。帰宅後は洗顔，うがいをし，鼻をかむ。飛散の多い時は，窓，戸を閉めておき，換気時は小さく開け，短時間にとどめる。室内に侵入した花粉は掃除で除去する（**表15**）。

ペットアレルギーに対しては，原因ペットの飼育をやめさせるのが第一選択である。ネコの

表14　室内塵ダニの除去

①床面の掃除がけは，吸引部をゆっくりと動かし，換気しながら1㎡当たり20秒以上の時間をかけ，週に2回以上行う。
②布団を天日干しや布団乾燥機で乾燥させる。週に1回以上，布団に掃除機をかけ，表と裏面両面から丁寧に吸い取る。
③シーツ類，カバー類，ベッドパッド類，毛布類はこまめに洗濯する。
④高密度繊維の防ダニシーツやカバーを使用する。
⑤じゅうたんやカーペットは敷かず，布製のソファーはできる限り避ける。
⑥定期的に窓を開け換気し，部屋の湿度が60%を超えないようにする。除湿器なども活用する。
⑦フローリングなどのホコリのたちやすい場所は，拭き掃除の後に掃除機をかける。
⑧ぬいぐるみ，カーテンなど水洗いできるものはこまめに洗濯する。
⑨エアコンのフィルターを定期的に清掃する。
⑩空気清浄機は浮遊しているアレルゲンの除去には有効である。

（鼻アレルギー診療ガイドライン2024）

表15　スギ花粉の回避

①花粉情報に注意する。
②飛散の多い時の外出を控える。外出時にマスク，メガネを使う。
③表面がけばだった毛織物などのコートの使用は避ける。
④帰宅時，衣服や髪をよく払ってから入室する。洗顔，うがいをし，鼻をかむ。
⑤飛散の多い時は窓，戸を閉めておく。換気時の窓は小さく開け，短時間にとどめる。
⑥飛散の多い時のふとんや洗濯物の外干しは避ける。
⑦掃除を励行する。特に窓際を念入りに掃除する。

（鼻アレルギー診療ガイドライン2024）

表16　ペット（特にネコ）抗原の回避

①できれば飼育をやめる。
②屋内で飼う場合は，居住空間を分けるなどの対処を行う。
③床のカーペットをやめ，フローリングにする。
④布製のソファーはできる限り避ける。
⑤通気をよくし，掃除を励行する。
⑥フローリングなどのホコリのたちやすい場所は，拭き掃除をした後に掃除機をかける。

（鼻アレルギー診療ガイドライン2024）

主要抗原は乾燥して空気中を浮遊するため，飼っていなくても感作されることがある。イヌ，ネコは清潔に保ち，室内で飼う場合は，居住空間を分けるなどの対処を行う（**表16**）。

参考文献

1）馬場廣太郎ほか：スギ花粉症の自然治癒について―アンケート調査から―. 耳鼻と臨床　1991；**37**：1187-1191.
2）芦田恒雄ほか：スギ花粉症に自然治癒はあり得るか. 日本花粉学会会誌　1995；**41**：153-155.
3）今野昭義ほか：スギ花粉症における自然緩解の実態とその機序. アレルギー科　2003；**15**：39-44.
4）榎本雅夫ほか：小児アレルギー性鼻炎の抗原除去・回避とその実際. ENTONI　2007；**32**：19-25.

表17　アレルギー性鼻炎治療薬

①ケミカルメディエーター遊離抑制薬（マスト細胞安定薬） 　クロモグリク酸ナトリウム，トラニラスト（リザベン®），アンレキサノクス（ソルファ®），ペミロラストカリウム（アレギサール®，ペミラストン®）
②ケミカルメディエーター受容体拮抗薬 　a）ヒスタミンH₁受容体拮抗薬（抗ヒスタミン薬） 　　第1世代：*d*-クロルフェニラミンマレイン酸塩（ポララミン®），クレマスチンフマル酸塩（タベジール®）など 　　第2世代：ケトチフェンフマル酸塩（ザジテン®），アゼラスチン塩酸塩（アゼプチン®），オキサトミド，メキタジン（ゼスラン®，ニポラジン®），エメダスチンフマル酸塩（レミカット®，アレサガ®），エピナスチン塩酸塩（アレジオン®），エバスチン（エバステル®），セチリジン塩酸塩（ジルテック®），レボカバスチン塩酸塩（リボスチン®），ベポタスチンベシル酸塩（タリオン®），フェキソフェナジン塩酸塩（アレグラ®），オロパタジン塩酸塩（アレロック®），ロラタジン（クラリチン®），レボセチリジン塩酸塩（ザイザル®），フェキソフェナジン塩酸塩/塩酸プソイドエフェドリン配合剤（ディレグラ®），ビラスチン（ビラノア®），デスロラタジン（デザレックス®），ルパタジンフマル酸塩（ルパフィン®） 　b）ロイコトリエン受容体拮抗薬（抗ロイコトリエン薬） 　　プランルカスト水和物（オノン®），モンテルカストナトリウム（シングレア®，キプレス®） 　c）プロスタグランジンD₂・トロンボキサンA₂受容体拮抗薬（抗プロスタグランジンD₂・トロンボキサンA₂薬） 　　ラマトロバン
③Th2サイトカイン阻害薬 　スプラタストトシル酸塩（アイピーディ®）
④ステロイド薬 　a）鼻噴霧用：ベクロメタゾンプロピオン酸エステル（リノコート®），フルチカゾンプロピオン酸エステル（フルナーゼ®），モメタゾンフランカルボン酸エステル水和物（ナゾネックス®），フルチカゾンフランカルボン酸エステル（アラミスト®），デキサメタゾンシペシル酸エステル（エリザス®） 　b）経口用：ベタメタゾン・*d*-クロルフェニラミンマレイン酸塩配合剤（セレスタミン®）
⑤生物学的製剤 　抗IgE抗体：オマリズマブ（ゾレア®）
⑥その他 　非特異的変調療法薬，生物抽出製剤，漢方薬

（2023年12月現在）
（鼻アレルギー診療ガイドライン2024）

5）Nurmatov U, et al.：House dust mite avoidance measures for perennial allergic rhinitis：an updated Cochrane systematic review. Allergy　2012；**67**：158-165.

6）Dávila I, et al.：Consensus document on dog and cat allergy. Allergy　2018；**73**：1206-1222.

3．薬物療法

　アレルギー性鼻炎の治療には，**表17**に示した薬剤のほか，点鼻用血管収縮薬が一般に用いられる。

　アレルギー性鼻炎治療薬はケミカルメディエーター遊離抑制薬，受容体拮抗薬，Th2サイトカイン阻害薬，ステロイド薬，生物学的製剤，その他に分類される。アレルギー性鼻炎の発症メカニズムと各治療薬の作用機序を**図10**に示す。

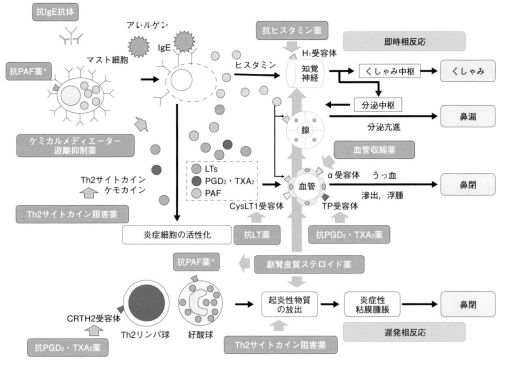

図10 アレルギー性鼻炎発症のメカニズムと治療薬の作用機序
LTs：ロイコトリエン，PGD$_2$：プロスタグランジンD$_2$，TXA$_2$：トロンボキサンA$_2$，PAF：血小板活性化因子，IL：インターロイキン
*ルパタジンフマル酸塩は，ルチジニル基が含まれており，抗PAF作用を示す。
（鼻アレルギー診療ガイドライン2024）

参考文献
1）奥田　稔：抗アレルギー薬の臨床評価法．臨床免疫　1985：**17**（補9）：388-395.
2）奥田　稔：スギ花粉症に対するケトチフェン季節前投与の予防効果．耳展　1986：**29**：277-293.
3）奥田　稔：鼻アレルギーの病態と抗アレルギー薬．JOHNS　1991：**7**：183-186.
4）増田佐和子ほか：抗アレルギー薬の位置と使用法．アレルギーの臨床　1991：**11**：32-36.
5）中島重徳：抗アレルギー薬の新分類．アレルギーの領域　1998：**5**：1519-1523.
6）馬場廣太郎ほか：スギ花粉症の薬物療法．アレルギー科　1998：**5**：167-176.
7）奥田　稔：鼻アレルギー―基礎と臨床―（改訂版）．医薬ジャーナル社，大阪，2005.

1）ケミカルメディエーター遊離抑制薬（Chemical mediator release inhibitors）（マスト細胞安定薬）

　マスト細胞からのケミカルメディエーター遊離を抑制する薬剤として，クロモグリク酸ナトリウム（DSCG，Cromolyn sodium）が1967年に開発されて以来，局所用（点眼，鼻噴霧用），経口用のケミカルメディエーター遊離抑制薬が多種類開発されており，欧米と比較して本邦の特徴となっている。本剤により動物の結合織型マスト細胞からのケミカルメディエーター遊離抑制作用が証明されているが，アレルギー性鼻炎発症に重要な粘膜型マスト細胞のアレルギーによ

表18　経口ケミカルメディエーター遊離抑制薬の特徴

①連用により改善率が上昇する。
②効果はマイルドなため臨床効果発現が遅い。
③鼻閉にもやや効果がある。
④副作用が比較的少ない。
⑤眠気がない。

（鼻アレルギー診療ガイドライン2024）

るケミカルメディエーター遊離抑制作用は弱い。

　ケミカルメディエーター遊離抑制作用が不十分のため，DSCGも最近は抗炎症薬と呼ばれることもあるが抗炎症作用も弱い。ケミカルメディエーター遊離抑制薬としては，そのほかにトラニラスト，アンレキサノクス，ペミロラストカリウムが市販されている。第2世代のヒスタミンH_1受容体拮抗薬（抗ヒスタミン薬）の多くは，ケミカルメディエーター遊離抑制作用があり薬理作用が類似するが，その作用は弱い。

　本剤に共通した性質は（表18），効果がマイルドで，臨床的に十分な効果が認められるには1～2週間の連用が必要なことである。投与を続けると改善率は増す。鼻閉に対する有効性は第1世代の抗ヒスタミン薬より高いが，速効性には欠けるため，他剤の使用で中等症，軽症とステップダウンした患者の維持療法として用いるのがよい。また，花粉症の初期療法にも，眠気や口渇といった副作用のない本剤は使用しやすい。経口薬は胃腸障害，肝機能障害を起こすことがあるので注意する。特にトラニラストはときに肝機能障害，膀胱炎様症状を発症させる。

参考文献

1）高石敏昭ほか：脱顆粒抑制薬．治療学　1990：24：1186-1188.
2）奥田　稔：抗アレルギー剤のアレルギー性鼻炎における臨床治験．小児内科　1993：25：1452-1455.
3）岡本美孝：化学伝達物質遊離抑制剤の作用機序と適応．Prog Med　2002：22：358-361.

2）ケミカルメディエーター受容体拮抗薬（Chemical mediator receptor antagonists）

　発症メカニズムの最終段階である標的組織を作用点とする。アレルギーのケミカルメディエーターとしてヒスタミン，ロイコトリエン，プロスタグランジン，トロンボキサンA_2，血小板活性化因子（PAF），キニンなどが報告されているが，ヒスタミン，ロイコトリエン，PAFを除き，病態への関与のメカニズムに関しては十分明らかにされていない。

　現在，アレルギー性鼻炎の治療のために抗ヒスタミン薬，抗ロイコトリエン薬，抗プロスタグランジンD_2・トロンボキサンA_2薬が市販されている。抗ヒスタミン薬は1940年代からアレルギー性鼻炎治療薬として用いられ，現在も繁用されている。

（1）ヒスタミンH_1受容体拮抗薬（Histamine H_1 receptor antagonists）

　初期に開発された第1世代のH_1受容体拮抗薬（抗ヒスタミン薬，anti-histamines）はジフェン

表19　第2世代抗ヒスタミン薬の特徴（第1世代と比較して）

> ①中枢抑制，抗コリン作用などの副作用が少ない。
> ②全般改善度はよい。
> ③鼻閉に対する効果がややよい。
> ④効果の発現がやや遅いが*，長く持続する。
> ⑤連用により改善率が上昇する。

*比較的速効性はあるものの，通年性アレルギー性鼻炎での臨床試験で，十分な効果を得るのに2週間程度を要する。亢進した過敏性を単独治療で抑制するのに必要な期間と考えられる。

（鼻アレルギー診療ガイドライン2024）

ヒドラミン，プロメタジン塩酸塩などであり，速効性はあるものの，効果の持続が短く，中枢抑制作用による鎮静，認知能力低下，眠気，抗コリン作用による口渇，尿閉，便秘などが強かった。次に開発されたのは，d-クロルフェニラミンマレイン酸塩，クレマスチンフマル酸塩などであり，効果が長く持続し，抗ヒスタミン作用は強くなったが，副作用はやや軽減されているにすぎなかった。これらの第1世代抗ヒスタミン薬の抗コリン作用は，アミノ酸配列におけるヒスタミンH_1受容体とムスカリンM_1受容体の相同性が30％以上であり，他の受容体と比較して最も高いことに起因している。

　その後，アレルギー性鼻炎に適応のある第2世代抗ヒスタミン薬として，本邦ではケトチフェンフマル酸塩，アゼラスチン塩酸塩，オキサトミドが導入された。これらは抗ヒスタミン作用のほかに多彩な抗アレルギー作用を有することが実験的に証明され，臨床的にも第1世代抗ヒスタミン薬の欠点である鎮静作用や抗コリン作用が軽減され，鼻閉にも効果を有することが示された。続いてメキタジン，エピナスチン塩酸塩，エバスチン，セチリジン塩酸塩，ベポタスチンベシル酸塩，フェキソフェナジン塩酸塩，オロパタジン塩酸塩，ロラタジン，レボセチリジン塩酸塩，ビラスチン，デスロラタジン，ルパタジンフマル酸塩などが市販され，効果がより長く持続するようになり，副作用が著明に改善された。今でも"鎮静作用の強い方が効果も強い"との錯覚が残っているが，抗アレルギー作用と鎮静作用は全く異なり，鎮静作用を低くするために親水性の官能基（$-COOH$，$-NH_2$）を導入して，血液脳関門を通過しにくくしている。一般的に，第1世代抗ヒスタミン薬はくしゃみ，鼻漏に効果があるが，鼻閉に対しては効果が劣り，一時的に軽症や中等症に対して使用される。第2世代抗ヒスタミン薬は，全般改善度や鼻閉に対する効果が優れている（表19）。

　第1世代の抗ヒスタミン薬の副作用として，眠気，胃腸障害，口渇，めまい，頭痛などがある。車の運転をする人，危険な作業をする人には注意して投与する。抗コリン作用の強い第1世代抗ヒスタミン薬は，緑内障，前立腺肥大，気管支喘息には禁忌である。小児は，成人に比べ，中枢抑制作用が少なく，むしろ痙攣などの興奮作用を認めることがある。

　第2世代抗ヒスタミン薬のうち，後期に開発されたものにおいては，眠気などの中枢抑制作用は著明に改善されている（非鎮静性抗ヒスタミン薬）。谷内は抗ヒスタミン薬の中枢抑制作用の程度を脳内H_1受容体占拠率から分類している。眠気の自覚がなくても，集中力，判断力，作業効率の低下が認められることがあり，インペアード・パフォーマンスと呼ばれている。第2

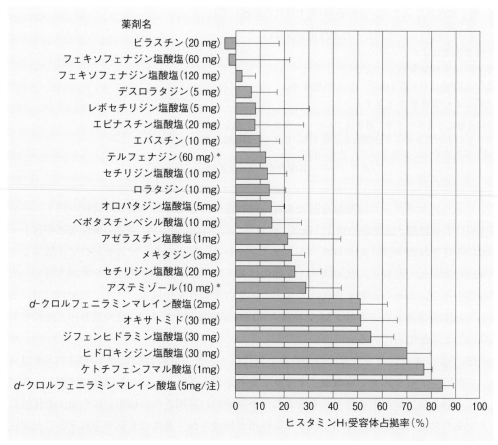

図11　脳内H₁受容体占拠率(参考文献 7 などより改変)
　　　注：各試験での条件は必ずしも同一ではない。
　　　＊発売中止

(谷内一彦：日耳鼻　2020；**123**：196-204.)

　世代抗ヒスタミン薬でも中枢への移行は薬剤により異なり，分子量の大きさ，脂溶性などの性質に加え，血液脳関門における輸送系の 1 つであるP糖蛋白の関与なども指摘されている。谷内らは，第 1 世代抗ヒスタミン薬(鎮静性)が50％以上の脳内H₁受容体を遮断するのに対して，非鎮静性抗ヒスタミン薬は20％以下と報告している(**図11**)。ケトチフェンフマル酸塩は日本では第 2 世代に分類されてガイドラインに入っているが，強力な鎮静作用をもっており，欧米ではほとんど使用されていない。さらに日本ではOTC薬を含め鎮静性抗ヒスタミン薬がいまだに頻用されており，その危険性はあまり認識されていない。

　理想的な抗ヒスタミン薬の条件をまとめると，①速効性があり，効果が持続する，②副作用(眠気，作業効率の低下など)が少ない，③長期投与ができる(安全性)，④投与回数が 1 日 1 ～ 2 回でアドヒアランスがよい，といったポイントが挙げられる。国際的ガイドラインの基準であるARIAにおいても，安全性や有効性について考慮した上で，花粉症治療薬として第 2 世代抗ヒスタミン薬が推奨されている。第 2 世代抗ヒスタミン薬の中では，レボセチリジン塩酸塩，ルパタジンフマル酸塩，エメダスチンフマル酸塩経皮吸収型製剤(貼付剤)で増量が認められて

表20　ロイコトリエン受容体拮抗薬の特徴

①鼻粘膜の容積血管拡張や血管透過性を抑制し，鼻閉を改善する。
②鼻閉に対する効果は，第2世代抗ヒスタミン薬よりも優れる。
③好酸球浸潤や鼻汁分泌を抑制する。
④くしゃみ，鼻汁にも有効である。
⑤効果発現は内服開始後1週までに認められ，連用で改善率が上昇する。

（鼻アレルギー診療ガイドライン2024）

いる。

　アレルギー性鼻炎やスギ花粉症患者の治療において，充全型の症状を有する中等症以上の患者では，症状に応じて第2世代抗ヒスタミン薬と抗ロイコトリエン薬や鼻噴霧用ステロイド薬の併用により，患者の満足度の高い治療が行われてきた。近年では，第2世代の非鎮静性抗ヒスタミン薬と血管収縮作用を有する塩酸プソイドエフェドリンの配合剤による治療も行われている。投与経路には，経口薬以外に点鼻薬，貼付剤がある。内服する場合より血中濃度が安定することが特徴であり，コンプライアンスの向上が期待できる。

参考文献
1）奥田　稔：抗ヒスタミン薬の臨床．治療学　1982；9：184-186.
2）田坂賢二：抗ヒスタミン薬の作用機序と薬理．薬局　1983；34：27-38.
3）川内秀之：薬物療法におけるH₁受容体拮抗薬の位置付け．臨床医の立場から．Prog Med　2004；24：250-253.
4）谷内一彦：理想的な抗ヒスタミン薬の基準とCONGA会議．Prog Med　2004；24：262-267.
5）Yanai K, et al.：Positron emission tomography evaluation of sedative properties of antihistamines. Expert Opin Drug Saf　2011；10：613-622.
6）Bousquet J, et al.：Allergic rhinitis and its impact on asthma（ARIA）：achievements in 10 years and future needs. J Allergy Clin Immunol　2012；130：1049-1062.
7）谷内一彦：薬理作用から見た理想的な抗ヒスタミン薬治療．日耳鼻　2020；123：196-204.

（2）ロイコトリエン受容体拮抗薬(Leukotriene receptor antagonists)

　ロイコトリエンは鼻粘膜のマスト細胞，好酸球，マクロファージで産生され，その受容体をもつ血管内皮細胞や好酸球に働き，鼻粘膜容積血管拡張作用や血管透過性亢進作用，そして好酸球遊走作用をもたらす。したがって，その受容体拮抗薬であるロイコトリエン受容体拮抗薬（抗ロイコトリエン薬；プランルカスト水和物，モンテルカストナトリウム）は，即時相および遅発相における鼻閉を改善し，その効果は第2世代抗ヒスタミン薬よりも優れる。また，鼻粘膜への好酸球浸潤を抑制することで鼻粘膜の過敏性を軽減し，さらにロイコトリエンD4による鼻汁分泌を抑制し，くしゃみや鼻漏に対しても第2世代抗ヒスタミン薬に匹敵する効果がある（表20）。これらの鼻症状に対する効果は，内服開始後1週までに認められる。エリスロマイシン，イトラコナゾールなどとの相互作用があるので併用には注意が必要である。副作用として，下痢，腹痛，ビリルビン上昇，嘔気，白血球や血小板減少，肝機能障害などがみられることがある。また，モンテルカストナトリウムとの因果関係は明らかではないが，うつ病，自殺念慮，

表21　プロスタグランジンD_2・トロンボキサンA_2受容体拮抗薬の特徴

①血管透過性を抑制し，鼻閉を改善する。
②鼻閉に対する効果は，第2世代抗ヒスタミン薬よりも優れる。
③好酸球浸潤や鼻過敏症を抑制する。
④くしゃみ，鼻汁にも有効である。
⑤効果発現は1週間で認められ，長期連用で改善率が上昇する。

（鼻アレルギー診療ガイドライン2024）

自殺および攻撃的行動を含む精神症状が報告されているので，本剤の投与には患者の状態を十分に観察することが必要である。

参考文献
1）今野昭義ほか：ONO-1078（プランルカスト水和物）の通年性鼻アレルギーに対する臨床評価. 臨床医薬　1997；**13**：1921-1939.
2）奥田　稔ほか：プランルカストの通年性鼻アレルギーに対する臨床評価—塩酸エピナスチンを対照薬とした多施設共同二重盲検比較試験—. 耳鼻　1998；**44**：47-72.
3）奥田　稔ほか：ONO-1078（プランルカスト水和物）の通年性鼻アレルギーに対する臨床評価—3用量比較による多施設共同二重盲検比較試験（用量設定試験）—. 耳鼻　1999；**45**：299-321.
4）大久保公裕ほか：システイニルロイコトリエン受容体1拮抗薬モンテルカストナトリウムの通年性アレルギー性鼻炎に対する12週間長期投与試験. 臨床医薬　2007；**23**：879-888.

（3）プロスタグランジンD_2・トロンボキサンA_2受容体拮抗薬
（Prostaglandin D_2 and thromboxane A_2 receptor antagonist）

　プロスタグランジンD_2・トロンボキサンA_2受容体拮抗薬（抗PGD_2・TXA_2薬；ラマトロバン）はトロンボキサン受容体を遮断することで，血管透過性の亢進や鼻腔抵抗の上昇を抑制し，鼻閉を改善する。その鼻閉に対する効果は，第2世代抗ヒスタミン薬よりも優れる。また，プロスタグランジンD_2（PGD_2）の受容体の1つであるCRTH2（chemoattractant receptor-homologous molecule expressed on Th2 cells）の遮断を介してPGD_2の好酸球遊走作用，そして鼻粘膜の過敏性亢進を抑制し，くしゃみ，鼻漏を改善する。鼻閉に対しては内服開始後1週間で，くしゃみ，鼻漏に対しても2週間で効果発現が認められ，4週間以上の長期投与によって，さらに自覚症状が改善する（**表21**）。本剤は血小板凝集能を抑制するため，抗血小板薬，血栓溶解薬，抗凝固薬との併用に注意する。その他，サリチル酸系製剤，テオフィリン製剤とも相互作用がある。副作用として，肝炎，肝機能障害，腹痛，頭痛・頭重，出血傾向が記されており，市販後調査では重篤な事象は認めていないが，注意が必要である。

参考文献
1）石川　哮ほか：通年性鼻アレルギーに対するラマトロバン（BAYu3405）の長期投与試験. 臨床医薬　1997；**13**：183-204.
2）Terada N, et al.：The effect of ramatroban（BAYu 3405）, a thromboxane A_2 receptor antagonist, on nasal cavity volume and minimum cross-sectional area and nasal mucosal hemodynamics after nasal mucosal allergen challenge in patients with perennial allergic rhinitis. Acta Otolaryngol

(Stockh) 1998：**537**(Suppl.)：32-37.

3）Sugimoto H, et al.：An orally bioavailable small molecule antagonist of CRTH2, ramatroban (BAYu3405), inhibits prostaglandin D₂-induced eosinophil migration *in vitro*. J Pharmacol Exp Ther 2003：**305**：347-352.

4）今川　亘ほか：アレルギー性鼻炎に対するラマトロバン(バイナス®錠)の市販後調査─使用成績調査─. アレルギーの臨床 2008：**28**：977-987.

3）Th2 サイトカイン阻害薬(Th2 cytokine inhibitor)

　Th2細胞からのサイトカインであるIL-4，IL-5，IL-13産生を抑制するという特徴的作用機序をもつスプラタストトシル酸塩がある。IgE産生抑制，好酸球浸潤抑制がアレルギー症状の軽減をもたらすことに加え，マスト細胞からのヒスタミン遊離も抑制するとされる。臨床的にはIgEが著しく低下することはないが，アレルゲン免疫療法初期のIL-4とIgE値の上昇を抑制することができる。くしゃみ，鼻漏よりも鼻閉に効果があり，遅発相の抑制によると考えられる。単独使用よりも，他の作用機序をもつ薬剤との併用で，その増強効果が得られる。

参考文献
1）佐々木邦ほか：連続誘発の即時相・遅発相反応に対するアイピーディの抑制効果. 耳展 1997：**40**：587-591.
2）Washio Y, et al.：Suplatast Tosilate affects the initial increase in specific IgE and Interleukin-4 during immunotherapy for perennial allergic rhinitis. Acta Otolaryngol 1998：**538**(Suppl.)：126-132.
3）伊藤聡久ほか：アイピーディ®のスギ花粉症に対する初期療法効果. 耳鼻臨床 2003：**96**：1017-1021.

4）ステロイド薬(Corticosteroids)

（1）鼻噴霧用ステロイド薬(Nasal corticosteroids)

　鼻噴霧用ステロイド薬は，現在のアレルギー性鼻炎治療薬の中では症状改善効果の強い薬剤である。その作用は抗炎症作用にある。主な作用機序として，1）粘膜型マスト細胞，好酸球，リンパ球の鼻粘膜局所浸潤の抑制，2）サイトカインの産生・放出の抑制，3）血管透過性や腺分泌の抑制，4）アラキドン酸代謝の阻止によるロイコトリエン，プロスタグランジン産生の抑制などが挙げられる。アレルギー反応の即時相には効果がなく，遅発相のみに効果があるといわれているが，連用すれば即時相にも有効である。

　現在，本邦で使用できる鼻噴霧用ステロイド薬は，ベクロメタゾンプロピオン酸エステル，フルチカゾンプロピオン酸エステル，モメタゾンフランカルボン酸エステル水和物，フルチカゾンフランカルボン酸エステル，デキサメタゾンシペシル酸エステルである。いずれも微量で局所効果が強く，吸収されにくく，吸収されてもすぐに分解されるため，ベクロメタゾンプロピオン酸エステルを除き，1年以上の連用でも全身的副作用は少なく，効果は確実である(**表22**)。しかも，生物学的利用率(bioavailability)が低い薬剤の方がより全身的副作用が出現しにくいと考えられる。局所的副作用として，軽度の鼻内刺激感，乾燥感，鼻灼熱感，鼻出血などが

表22　鼻噴霧用ステロイド薬の特徴

①効果は強い。
②効果発現は約１〜２日。
③副作用は少ない。
④鼻アレルギーの３症状に等しく効果がある。
⑤眼症状にも効果がある。

（鼻アレルギー診療ガイドライン2024）

ときにみられる。

　本剤は効果発現が早く，約１〜２日で効果がみられる。長期連用により改善率は上がる。重症例にも効果があり著効例も多い。抗ヒスタミン薬に抵抗する鼻閉にも有効で，点鼻用血管収縮薬の離脱にも有効である。また，血管運動性鼻炎にも効果がある。初期の炎症(minimum persistent inflammation)から使用することで花粉飛散ピーク時の症状増悪を抑制できることが明らかとなり，初期療法にも用いられる。

（２）全身ステロイド薬(Systemic corticosteroids)

　鼻噴霧用ステロイド薬では制御できない症例(重症・最重症・難治症例)に対して，ステロイド薬内服を行う場合がある。日本では抗ヒスタミン薬(*d-*クロルフェニラミンマレイン酸塩)とベタメタゾンの合剤であるセレスタミン®が広く用いられているが，プラセボ対照の比較試験は行われていない。適切な投与量や投与方法に関するデータも不足している。内服ステロイド薬ではメドロール®錠で唯一有用性が証明されている。プレドニゾロン換算で30mg/日においてすべての鼻症状が有意に改善される。気管支喘息発作時における経口ステロイド薬の使用も参考にすると，ステロイド薬(プレドニゾロン20〜30mg/日)の短期投与（１週間以内）が推奨される。しかしながら，副腎皮質抑制をはじめとする副作用や，長期間使用（２週間以上）によるステロイド離脱困難に至らぬよう注意しなくてはならない。なお，スギ花粉飛散期における中等症以上の患者を対象にした抗ヒスタミン薬と鼻噴霧用ステロイド薬または内服ステロイド薬(セレスタミン®)の併用療法の比較試験では，鼻噴霧用ステロイド薬と内服ステロイド薬が同等の効果があることが示されており，副作用の面で鼻噴霧用ステロイド薬の併用を推奨している。

　また，プラセボを対照としたデポステロイドのシーズン前１回筋注投与では，鼻閉に対する効果は高いがくしゃみや鼻漏に対する効果は強くない。血清コルチゾールの低下や血糖値の上昇などを生じることがあり，投与前後の検査を怠ってはならない。ときに副作用(満月様顔貌，皮膚・皮膚付属器障害，月経異常，筋萎縮や瘢痕形成などの注射部位障害，副腎皮質機能低下など)が起こるため，一般的な使用は推奨できない。

参考文献
１）奥田　稔：鼻アレルギーにステロイド剤はなぜ効果があるか．medicina　1985；**22**：1170-1171.
２）鵜飼幸太郎：局所ステロイド薬の使い方と注意点．アレルギーの臨床　1999；**19**：323-326.

3）増山敬祐：ステロイドの功罪—全身投与と局所投与の違い—．耳鼻免疫アレルギー　2000；**18**：6-11.

4）水越文和ほか：スギ花粉症に対する徐放性ステロイド治療の問題点と文献的考察．耳鼻免疫アレルギー　2000；**18**：17-20.

5）Mygind N, et al.：Systemic corticosteroid treatment for seasonal allergic rhinitis：a common but poorly documented therapy. Allergy　2000；**55**：11-15.

6）Karaki M, et al.：Efficacy of intranasal steroid spray（mometasone furoate）on treatment of patients with seasonal allergic rhinitis：comparison with oral corticosteroids. Auris Nasas Larynx 2013；**40**：277-281.

5）生物学的製剤（Biologics）

　2019年に重症季節性アレルギー性鼻炎を適応として抗IgE抗体製剤が保険適用承認された。オマリズマブはIgEのマスト細胞結合部位$C\varepsilon 3$に対するヒト化抗ヒトIgEモノクローナル抗体であり，遊離したIgEと結合し，最終的にマスト細胞と結合することを妨げて，その活性化を抑制する。これまでに気管支喘息，特発性の慢性蕁麻疹に対して適応を有していた生物学的製剤である。

　単剤での効果の大きさはすでに欧米，日本でのエビデンスで証明されている。Okuboらの報告では，オマリズマブの投与はプラセボに比較して花粉飛散期の鼻症状薬物スコアを約40%抑制し，眼の症状は50%抑制し，およそ25%の患者は鼻症状薬物スコアが1以下の無症状または軽症に改善した。有害事象は注射部位の痛みが主体であった。また，Okuboらは，抗ヒスタミン薬と鼻噴霧用ステロイド薬の併用でも症状の残る患者に対して，オマリズマブを上乗せした投与効果をプラセボと比較した。オマリズマブ投与群では，症状ピーク期の鼻症状スコアは有意に抑制効果を示し，労働および学習能率の低下を抑制した。本剤の適応取得では，この治験結果がもとになっている。

　オマリズマブは，本ガイドラインでは重症・最重症の花粉症に対する治療薬として位置づけられている（表33，p. 73参照）。本剤には最適使用推進ガイドラインが作成され，医療機関等および患者の要件などが示されている。1）施設要件として医師は，4年以上の耳鼻咽喉科診療研修歴もしくは，4年以上の臨床経験のうち3年以上の季節性アレルギー性鼻炎を含むアレルギー診療研修歴が必要となる。小児に投与する場合は3年以上の小児科研修を含む4年以上の臨床経験でも可能である。2）患者要件としては表23の7つを満たす必要があり，診療報酬明細書に記載する必要がある。⑤のケミカルメディエーター受容体拮抗薬には抗ヒスタミン薬などが含まれる（表17，p. 44参照）。

　また，コントロール不十分な鼻症状については，くしゃみ，鼻汁および鼻閉のすべての症状が発現し，かつそのうち1つ以上の症状は，本ガイドラインに基づく程度が+++の重症以上であることを示す（表9，p. 29参照）。⑥では，血清総IgE濃度が30〜1500IU/mLの範囲で，体重は20〜150kgの範囲であることが必要である。投与量換算法については，どの程度のオマリズマブを使用すれば全身のIgEが消去できるかというdose conceptにより，本剤の臨床推奨用量である0.008mg/kg/［U/mL］以上（2週間間隔皮下投与時）または0.016mg/kg/［U/mL］以上（4週間間隔皮下投与時）となるように投与量が設定されている。

表23 オマリズマブの患者要件

①季節性アレルギー性鼻炎治療には，原因花粉抗原の除去と回避が重要であることを指導すること。

②本剤を含む薬物療法は対症療法であるが，アレルゲン免疫療法は長期寛解が期待できる治療であることを説明すること。

③本ガイドラインを参考にスギ花粉による季節性アレルギー性鼻炎の確定診断がなされていること。

④初回投与前のスギ花粉特異的IgEがクラス3以上であること。

⑤過去に鼻噴霧用ステロイド薬およびケミカルメディエーター受容体拮抗薬による治療を受けたが，コントロール不十分な鼻症状が1週間以上持続したという診療，問診内容を確認すること。

⑥12歳以上で，体重および初回投与前血清中総IgE濃度が投与量換算表で定義される基準を満たすこと。

⑦投与開始時点において，季節性アレルギー性鼻炎とそれ以外の疾患が鑑別され，本剤投与が適切な季節性アレルギー性鼻炎と診断されていること。

(鼻アレルギー診療ガイドライン2024)

　本剤の国内使用経験の報告も増えており，Hiranoらは花粉飛散期ピーク以降にオマリズマブの適応に準じた患者18名を対象とした前向き観察研究において，4週後の効果判定の際にはくしゃみ，鼻のかゆみ，鼻汁，鼻閉，眼のかゆみのすべてにおいて有意に改善がみられ，そのうち15名は1週間程度で効果を自覚したと報告している。また，Müllerらは既存の治療に抵抗する重症スギ花粉症患者にオマリズマブを投与した場合，労働生産性の低下を約1/3に減少させるとしている。

　投与期間中は，抗ヒスタミン薬の併用が必要である。副反応に関する注意としては，以下の点に注意する必要がある。稀にショック，アナフィラキシーが発現する可能性があり，稀に注射部位の疼痛，腫脹が認められる。投与中にめまい，疲労，失神，傾眠が現れることがあるため，自動車の運転など危険を伴う機械の操作に従事する場合には十分に注意させる。寄生虫感染のリスクが高い地域に旅行する場合には注意する。妊婦および授乳婦に対して，危険性を示す確定的な情報はなく，治療上の有益性を考慮して使用を検討する。

参考文献

1 ）Okubo K, et al.：Omalizumab is effective and sefe in the treatment of Japanese cedar pollen-induced seasonal allergic rhinitis. Allergol Int　2006；**55**：379-386.

2 ）Nagakura T, et al.：Omalizumab is more effective than suplatast tosilate in the treatment of Japanese cedar pollen-induced seasonal allergic rhinitis. Clin Exp Allergy　2007；**38**：329-337.

3 ）Okubo K, et al.：Add-on omalizumab for inadequently controlled severe pollinosis despite standard-of-care：a randomised study. J Allergy Clin Immunol Pract　2020；**8**：3130-3140. e2.

4 ）大久保公裕：スギ花粉症に対する免疫療法　舌下免疫療法と抗体療法．アレルギー　2021；**70**：948-954.

5 ）岡野光博ほか：アレルギー疾患治療における分子標的薬の新展開－アレルギー性鼻炎．炎症と免疫　2021；**29**：421-427.

6 ）Hirano K, et al.：Impact of omalizumab on pollen-induced seasonal allergic rhinitis：An

observational study in clinical practice. Int Forum Allergy Rhinol　2021；**11**：1588-1591.
7 ）Müller M, et al.：The impact of omalizumab on paid and unpaid work productivity among severe Japanese cedar pollinosis（JCP）patients. J Med Econ　2022；**25**：220-229.
8 ）「アレルギー総合診療のための分子標的治療の手引き」作成委員会：アレルギー総合診療のための分子標的治療の手引き．日本アレルギー学会，2022.

6 ）点鼻用血管収縮薬(Nasal vasoconstrictor)
・α交感神経刺激薬(α-sympathetic stimulants)

アレルギー性鼻炎患者は発作期はもちろん間歇期にも鼻閉がある。鼻閉は，持続性で 2 次症状（神経症状，睡眠障害，口呼吸，精神作業障害など）のため患者を苦しめる。アレルギー性鼻炎の鼻閉は鼻粘膜のうっ血，浮腫，結合織増生などにより起こる。交感神経刺激薬はうっ血に有効で，本邦では経口投与より主に局所点鼻薬が用いられている。抗ヒスタミン薬は一般にくしゃみ，鼻漏に有効であるが，鼻閉に対する効果は強くないので，鼻閉，鼻粘膜腫脹の強い患者には，短期間点鼻用血管収縮薬が用いられる。

本剤によりα1，α2交感神経受容体が刺激され鼻粘膜血管が収縮し，鼻閉は一時的に改善される。ただ，連続使用により効果の持続は短くなり，使用後反跳的に血管は拡張し，かえって腫脹は増し，さらに使用回数を増すという悪循環に陥る（薬物性鼻炎）。使用は10日ぐらいまでにするよう指導が必要であるが，OTCとして薬局でも簡単に買えるため患者はしばしば濫用している。 1 日の点鼻回数を制限し，短期間の使用にとどめるべきである。薬物性鼻炎患者に対しては，鼻閉が強い患者に対して速効性を期待すると同時に，鼻粘膜浮腫が強い場合には鼻腔通気の改善により鼻噴霧用ステロイド薬の鼻粘膜全体への十分な散布を目的として，鼻噴霧用ステロイド薬使用10～30分前に点鼻用血管収縮薬を 1 日 1 ～ 2 回使用する。鼻噴霧用ステロイド薬の効果発現とともに休薬する。鼻噴霧用ステロイド薬と併用することで鼻噴霧用ステロイド薬の効果を向上させること，点鼻用血管収縮薬の副作用軽減効果も報告されている。

薬剤と関連して，交感神経遮断性降圧薬，血管拡張性降圧薬，気管支拡張薬，抗うつ薬，NSAIDs，避妊薬ピルなどの長期連用者にも鼻閉を主とした鼻炎が生じる。

参考文献
1 ）飯沼寿孝：点鼻薬の乱用．JOHNS　1992；**8**：1025-1027.
2 ）Scadding GK：Rhinitis medicamentosa. Clin Exp Allergy　1995；**25**：391-394.
3 ）Graf P, et al.：Effect on the nasal mucosa of long-term treatment with oxymetazoline, benzalkonium chloride, and placebo nasal sprays. Laryngoscope　1996；**106**：605-609.
4 ）Hallen H, et al.：Fluticasone propionate nasal spray is more effective and has a faster onset of action in treatment of rhinitis medicamentosa. Clin Exp Allergy　1997；**27**：552-558.
5 ）奥田　稔：アレルギー性鼻炎関連疾患．アレルギーの領域　1998；**5**：90-96.
6 ）Graf P, et al.：Ten day's use of oxymetazoline nasal spray with or without venzalkonium chloride in patients with vasomotor rhinitis. Arch Otolaryngol Head Neck Surg　1999；**125**：1128-1132.

7）その他
（1）非特異的変調療法薬（Non-specific allassotherapy）

変調療法薬としてヒスタミン加γグロブリンや細菌ワクチンなどが市販されているが，アレルギー性鼻炎にはヒスタミン加γグロブリンを除きあまり使われていない。ヒスタミン加γグロブリンはヒスタミンとγグロブリンの混合物（おそらくはイオン結合）で，この注射によるマスト細胞からのヒスタミン遊離抑制，遊離ヒスタミンの固定能の上昇が報告されている。本剤は生物由来製品に該当することに留意すべきである。いずれの薬剤も効果発現に時間がかかり，他の薬剤やアレルゲン免疫療法との併用で使用され，単独使用は少なく，さらに薬効機序も必ずしも明らかではない。

参考文献
1）山本恵一郎：非特異的変調療法薬．現代医療　1985；**17**：2279-2285.

（2）生物抽出製剤（Biological extract preparations）

生物抽出製剤としてノイロトロピンが市販されている。ノイロトロピンはワクシニアウイルスを接種した家兎の炎症性皮膚組織から抽出された製剤で，鼻粘膜副交感神経受容体数の調整作用や好酸球浸潤抑制作用が報告されている。

参考文献
1）伊藤明和ほか：鼻アレルギーにおけるHistaglobinの臨床効果—二重盲検試験による検討—．耳鼻臨床　1979；**72**：1539-1551.
2）奥田　稔ほか：鼻アレルギーに対するノイロトロピンの治療効果の検討．耳鼻臨床　1979；**72**：779-799.
3）Namimatsu A, et al.：Changes in autonomic nerve receptors in the nasal mucosa of Guinea pigs with nasal allergic symptoms and their regulation by neurotropin. "Neurotropin", eds., de Weck AL, et al., Hogrefe & Huber Publishers, Toronto・Lewiston, p.82, 1989.
4）Yoshii H, et al.：Neurotropin inhibits accumulation of eosinophils induced by allergen through the suppression of sensitized T-cells. Int J Immunopharmacol　1995；**17**：879-886.

（3）漢方薬（Chinese medicine）

漢方薬では小青竜湯，葛根湯，苓甘姜味辛夏仁湯などが用いられているが，証による病態把握，漢方診断に始まり，病期，病因分類が行われ漢方薬が選択され，経験則に基づいて行われる。小青竜湯のみがプラセボとの比較対照試験が行われ有効性が証明されている。速効性・持続性からみると，麻黄中に含まれているエフェドリンが作用していると考えられるが，作用機序については不明な点も多い。

参考文献
1）馬場駿吉ほか：小青竜湯の通年性鼻アレルギーに対する効果—二重盲検比較試験—．耳鼻臨床　1995；**88**：389-405.

2）日本東洋医学会学術教育委員会（編）：入門漢方医学．pp. 30-67，南江堂，東京，2002.
3）荻野　敏：漢方薬はどんな患者に有効か？　治療　2006；**88**：295-300.
4）稲葉博司：アレルギー性鼻炎・花粉症．市村恵一編集：耳鼻咽喉科漢方薬処方ガイド．pp.64-77，中山書店，東京，2015.

8）アレルギー性鼻炎治療薬の副作用・相互作用

（1）抗ヒスタミン薬

　抗ヒスタミン薬の医療用医薬品添付文書（添付文書）に記載されている重大な副作用および主な副作用，自動車運転に関する注意，相互作用を**表24**に示した。重大な副作用として，肝機能障害，黄疸，ショック，アナフィラキシーなどが現れることがあるので，観察を十分に行い，異常が認められた場合には投与を中止し，適切な処置を行う。第1世代抗ヒスタミン薬はH_1受容体選択性が低く，血液脳関門通過性も高いので，中枢抑制作用や消化器・循環器障害が現れやすい。また，抗コリン作用があり，閉塞隅角緑内障，前立腺肥大の患者には禁忌である。小児に投与する際は，痙攣や不穏・不眠・振戦などが出やすいので注意が必要である。第2世代抗ヒスタミン薬はH_1受容体選択性が高く，血液脳関門通過性も低いことから，副作用は比較的少ないとされている。抗ヒスタミン薬は，H_1受容体占拠率が50％以上を鎮静性，20〜50％を軽度鎮静性，20％以下を非鎮静性と分類される。第2世代抗ヒスタミン薬の後期に開発されたものは非鎮静性抗ヒスタミン薬に分類され，中枢抑制作用は改善されているものの，いずれも眠気を催す患者はいる。抗ヒスタミン薬には，添付文書の使用上の注意に，「眠気を催すことがあるので，本剤投与中の患者には自動車の運転等危険を伴う機械の操作には従事させないよう十分注意すること」（禁止），あるいは「自動車の運転等危険を伴う機械の操作に注意させること」（注意）が記載されている薬剤があり，自動車運転の際には注意が必要である。特に2013年，厚生労働省より「添付文書の使用上の注意に自動車運転等の禁止等の記載がある医薬品を処方又は調剤する際は，医師又は薬剤師から患者に対する注意喚起の説明を徹底させること」の通知が出され，処方時には注意喚起の説明が必須となったことに留意する必要がある。また，インペアード・パフォーマンス（集中力や判断力，作業効率などが低下した状態で，患者自身が自覚できない副作用）も問題となっており，患者への説明が重要となる。非鎮静性抗ヒスタミン薬では，統計学的に有意なインペアード・パフォーマンスは観察されていない。

　抗ヒスタミン薬は他剤と併用される機会も多いが，中枢神経抑制薬，アルコールとの併用により中枢抑制作用が増強され，眠気，めまい，脱力，倦怠感などの症状が現れる。特に高齢者では昏睡に陥ったり，転倒し思わぬ怪我をしたりすることもあるので，やむを得ず併用する場合には減量などの対応が必要である。第1世代抗ヒスタミン薬は，三環系抗うつ薬（イミプラミン塩酸塩など）やフェノチアジン系化合物（クロルプロマジン塩酸塩など）など抗コリン作用を有する薬剤との併用により，緑内障の悪化や腸管麻痺（腹部が張る，著しい便秘，腹痛，悪心・嘔吐などの症状が持続）を来し，麻痺性腸閉塞に移行することがある。この悪心・嘔吐は抗ヒスタミン薬やフェノチアジン系化合物の制吐作用によりマスクされることがあるので，十分な注意が必要である。麻痺性腸閉塞が現れた場合には，すぐに投与を中止する。フェキソフェナジ

表24 抗ヒスタミン薬の注意すべき副作用・自動車運転への注意・相互作用

分類		一般名（主な商品名）	重大な副作用（発現頻度のないものは頻度不明）	主な副作用（発現頻度のないものは頻度不明）	自動車運転※	相互作用
第1世代抗ヒスタミン薬	鎮静性[1]	ジフェンヒドラミン塩酸塩（レスタミン®）		発疹，動悸，めまい，倦怠感，頭痛，眠気，口渇，悪心，下痢	禁止	中枢神経抑制薬，アルコール，抗コリン作用のある薬剤，MAO阻害薬
		d-クロルフェニラミンマレイン酸塩（ポララミン®）	ショック，痙攣，錯乱，再生不良性貧血，無顆粒球症	発疹，光線過敏症，鎮静，頭痛，口渇，食欲不振，排尿困難，低血圧，心悸亢進，溶血性貧血，肝障害，悪寒	禁止	中枢神経抑制薬，アルコール，抗コリン作用のある薬剤，MAO阻害薬，ドロキシドパ，ノルアドレナリン
		プロメタジン塩酸塩（ピレチア®，ヒベルナ®）	悪性症候群，乳児突然死症候群，乳児睡眠時無呼吸発作	発疹，光線過敏症，肝障害，白血球減少，眠気，めまい，耳鳴，悪心，血圧上昇，低血圧，発汗	禁止	中枢神経抑制薬，アルコール，抗コリン作用のある薬剤，降圧薬
第2世代抗ヒスタミン薬	鎮静性[1]	ケトチフェンフマル酸塩（ザジテン®）	痙攣，興奮，肝障害，黄疸	眠気(4.4%)，倦怠感(0.3%)，口渇(0.1%)，悪心(0.1%)，肝障害	禁止	中枢神経抑制薬，アルコール，抗ヒスタミン薬
	軽度鎮静性[2]	アゼラスチン塩酸塩（アゼプチン®）		眠気，倦怠感，口渇，悪心，苦味感，味覚異常	禁止	
		メキタジン（ゼスラン®，ニポラジン®）	ショック，アナフィラキシー，肝障害，黄疸，血小板減少	眠気(2.2%)，倦怠感(0.5%)，口渇(0.4%)，光線過敏症，胃部不快感，排尿困難	禁止	中枢神経抑制薬，アルコール，抗コリン作用のある薬剤，メトキサレン
		セチリジン塩酸塩（ジルテック®）	ショック，アナフィラキシー，痙攣，肝障害，黄疸，血小板減少	眠気(2.6%)，倦怠感(0.2%)，口渇(0.2%)，浮動性めまい(0.1%)，頭痛(0.1%)	禁止	中枢神経抑制薬，アルコール，テオフィリン，リトナビル，ピルシカイニド
	非鎮静性[3]	フェキソフェナジン塩酸塩（アレグラ®）	ショック，アナフィラキシー，肝障害，黄疸，無顆粒球症，白血球減少(0.2%)，好中球減少	眠気(0.5%)，腹痛(0.2%)，めまい(0.1%)，倦怠感(0.1%)，頭痛，嘔気		Al，Mg含有制酸剤，エリスロマイシン
		エピナスチン塩酸塩（アレジオン®）	肝障害，黄疸，血小板減少	眠気(1.2%)，口渇(0.3%)，倦怠感(0.3%)，胃部不快感(0.2%)，嘔気(0.2%)，頭痛，腹痛	注意	
		エバスチン（エバステル®）	ショック，アナフィラキシー，肝障害，黄疸	眠気(1.7%)，口渇(0.4%)，倦怠感(0.3%)，胃部不快感(0.2%)，めまい	注意	エリスロマイシン，イトラコナゾール，リファンピシン
		レボセチリジン塩酸塩（ザイザル®）	ショック，アナフィラキシー，痙攣，肝障害(0.6%)，黄疸，血小板減少	眠気(2.6%)，倦怠感(0.3%)，口渇(0.1%)，浮動性めまい(0.1%)，頭痛(0.1%)	禁止	中枢神経抑制薬，アルコール，テオフィリン，リトナビル，ピルシカイニド
		ベポタスチンベシル酸塩（タリオン®）		眠気(1.3%)，倦怠感，口渇，悪心，胃痛，発疹，肝障害	注意	
		エメダスチンフマル酸塩（レミカット®，アレサガ®）		眠気(6.3%)，倦怠・脱力感(0.6%)，口渇(0.2%)，腹痛(0.1%)，適用部位紅斑（テープ剤）	禁止	中枢神経抑制薬，アルコール，抗ヒスタミン薬
		オロパタジン塩酸塩（アレロック®）	劇症肝炎，肝障害，黄疸	眠気(7.0%)，倦怠感(0.6%)，口渇(0.4%)	禁止	
		ロラタジン（クラリチン®）	ショック，アナフィラキシー，てんかん，痙攣，肝障害，黄疸	眠気(0.7%)，腹痛(0.1%)，口渇(0.1%)，便秘		エリスロマイシン，シメチジン
		デスロラタジン（デザレックス®）	ショック，アナフィラキシー，てんかん，痙攣，肝障害，黄疸	傾眠(1.0%)，白血球数増加(0.6%)，血中コレステロール増加(0.4%)		エリスロマイシン
		ビラスチン（ビラノア®）	ショック，アナフィラキシー	眠気(0.6%)，口渇(0.3%)，頭痛(0.3%)		エリスロマイシン，ジルチアゼム
		ルパタジンフマル酸塩（ルパフィン®）	ショック，アナフィラキシー，てんかん，痙攣，肝障害，黄疸	眠気(9.3%)，口渇(0.7%)，倦怠感(0.6%)，便秘，肝障害	禁止	エリスロマイシン，ケトコナゾール，グレープフルーツジュース，アルコール
		フェキソフェナジン塩酸塩/塩酸プソイドエフェドリン配合剤（ディレグラ®）	ショック，アナフィラキシー，痙攣，肝障害，黄疸，無顆粒球症，白血球減少，好中球減少，急性汎発性発疹性膿疱症	頭痛(0.6%)，発疹(0.6%)，疲労(0.3%)，口渇(0.3%)		Al，Mg含有制酸剤，エリスロマイシン，交感神経系に抑制的に作用する降圧薬，交感神経刺激薬，選択的MAO-B阻害薬

[1]H₁受容体占拠率50％以上，[2]H₁受容体占拠率20〜50％，[3]H₁受容体占拠率20％以下（参考文献 2 〜 4 より）
※禁止：添付文書に「自動車の運転等危険を伴う機械の操作には従事させないこと」と記載
注意：添付文書に「自動車の運転等危険を伴う機械の操作に注意させること」と記載

（鼻アレルギー診療ガイドライン2024）

ン塩酸塩はアルミニウム，マグネシウムを含む制酸剤とともに服用すると，吸着されてフェキソフェナジン塩酸塩の吸収量が約40％減少することが報告されている。患者には一緒に服用しないよう十分に指導する必要がある。また，マクロライド系抗菌薬のエリスロマイシンと併用すると代謝が阻害され，血中濃度が上昇することが報告されている。エバスチン，ロラタジンなどでも同様の相互作用が報告されており注意が必要である。

（2）その他のアレルギー性鼻炎治療薬

抗ヒスタミン薬以外のアレルギー性鼻炎治療薬の重大な副作用および主な副作用，相互作用を表25に示した。抗PGD_2・TXA_2薬のラマトロバン，抗ロイコトリエン薬のプランルカスト水和物，モンテルカストナトリウム，ケミカルメディエーター遊離抑制薬のトラニラスト，Th2サイトカイン阻害薬のスプラタストトシル酸塩において，重大な副作用として肝機能障害が報告されており，定期的な肝機能検査が欠かせない。また，プランルカスト水和物で白血球減少などの血液障害，間質性肺炎，好酸球性肺炎，横紋筋融解症，モンテルカストナトリウムでアナフィラキシー，血管浮腫，中毒性表皮壊死融解症などの重篤な皮膚障害，トラニラストで膀胱炎様症状，スプラタストトシル酸塩でネフローゼ症候群といった重大な副作用が報告されている。いずれも発現頻度は低いが，服用中の経過観察が重要である。また，抗ロイコトリエン薬使用時に，好酸球性多発血管炎性肉芽腫症様の血管炎を生じたとの報告がある。経口ステロイド薬の減量・中止時に発現しやすく，好酸球数の推移などの観察が重要である。アレルギー性鼻炎治療薬の催奇形性は，ヒトで証明されたものはない。しかし，トラニラスト，ペミロラストカリウムは動物実験で催奇形性が報告されており，妊婦には禁忌である。

鼻腔内の炎症を抑制する作用が最も強いステロイド薬は，全身投与製剤では多くの副作用や適応禁忌疾患があるが，鼻噴霧用ステロイド薬では鼻出血などの鼻症状，不快臭などがまれにみられる程度で安全性は高い。しかしながら，フルチカゾンプロピオン酸エステル，フルチカゾンフランカルボン酸エステルはCYP3A4で代謝されることから，リトナビルなどのCYP3A4阻害作用を有する薬剤と併用すると，クッシング症候群などステロイド薬を全身投与した場合と同様の症状が現れる可能性がある。経口ステロイド薬は数多くの相互作用が報告されており，併用には十分な注意が必要である。α受容体刺激作用を有する点鼻用血管収縮薬は，連用により耐性を生じることがあり，患者には使用制限を守るよう指導する必要がある。また，MAO阻害薬との併用により急激な血圧上昇が起こるおそれがあるので，併用禁忌である。

治療薬を処方する際には，きめ細かな問診を実施し，患者の服用薬を把握することが重要である。近年，薬の服用歴などを記載した「お薬手帳」を持参している患者も増えており，その利用も重複投与や相互作用を防止するには効果的である。

参考文献
1）各薬剤の医療用医薬品添付文書.
2）Kubo N, et al.：Brain histamine H_1 receptor occupancy of loratadine measured by positron emission topography：comparison of H_1 receptor occupancy and proportional impairment ratio.

表25　その他のアレルギー性鼻炎治療薬の注意すべき副作用・相互作用

分類	一般名(主な商品名)	重大な副作用(発現頻度のないものは頻度不明)	主な副作用(発現頻度のないものは頻度不明)	相互作用
抗PGD$_2$・TXA$_2$薬	ラマトロバン	肝炎，肝障害，黄疸	眠気(0.4%)，頭痛・頭重(0.2%)，下痢(0.2%)，動悸(0.1%)，嘔気(0.1%)，胃部不快感(0.1%)	抗血小板薬，血栓溶解薬，抗凝血薬，サリチル酸系製剤，テオフィリン
抗LTs薬	プランルカスト水和物(オノン®)	ショック，アナフィラキシー，白血球減少，血小板減少，肝障害，間質性肺炎，好酸球性肺炎，横紋筋融解症	下痢(1.0%)，腹痛・胃部不快感(0.8%)，発疹・瘙痒など(0.6%)，眠気(0.4%)，嘔気(0.3%)，好酸球性多発血管炎性肉芽腫症様血管炎	CYP3A4で代謝される薬剤，CYP3A4を阻害する薬剤
	モンテルカストナトリウム(シングレア®，キプレス®)	アナフィラキシー，血管浮腫，劇症肝炎，肝炎，肝障害(0.01%)，黄疸，中毒性表皮壊死融解症，皮膚粘膜眼症候群，多形紅斑(0.01%)，血小板減少	口渇(0.8%)，傾眠(0.8%)，胃不快感(0.5%)，頭痛(0.3%)，下痢(0.3%)，倦怠感(0.3%)，好酸球性多発血管炎性肉芽腫症様血管炎	フェノバルビタール
ケミカルメディエーター遊離抑制薬	トラニラスト(リザベン®)	膀胱炎様症状，肝障害，黄疸，腎障害，白血球減少，血小板減少	嘔気(0.3%)，腹痛(0.2%)，胃部不快感(0.2%)，食欲不振(0.1%)，下痢(0.1%)	ワルファリン
	ペミロラストカリウム(アレギサール®，ペミラストン®)		腹痛(0.2%)，ALT上昇(0.2%)，眠気(0.2%)，嘔気(0.2%)，AST上昇(0.1%)	
Th2サイトカイン阻害薬	スプラタストトシル酸塩(アイピーディ®)	肝障害，ネフローゼ症候群	胃部不快感(0.4%)，嘔気(0.4%)，眠気(0.5%)，発疹(0.2%)	
鼻噴霧用ステロイド薬	ベクロメタゾンプロピオン酸エステル(リノコート®)，フルチカゾンプロピオン酸エステル(フルナーゼ®)，モメタゾンフランカルボン酸エステル水和物(ナゾネックス®)，フルチカゾンフランカルボン酸エステル(アラミスト®)，デキサメタゾンシペシル酸エステル(エリザス®)	アナフィラキシー	鼻症状(出血，刺激感，乾燥感，疼痛，発赤)，咽喉頭症状(刺激感，疼痛，不快感，乾燥感)，不快臭，頭痛	[フルチカゾンプロピオン酸エステル，フルチカゾンフランカルボン酸エステル]　CYP3A4を阻害する薬剤
経口ステロイド薬	ヒドロコルチゾン(コートリル®)，プレドニゾロン(プレドニン®)，トリアムシノロン(レダコート®)，ベタメタゾン(リンデロン®)	誘発感染症，感染症の増悪，続発性副腎皮質機能不全，糖尿病，消化性潰瘍，消化管穿孔，膵炎，精神変調，うつ状態，痙攣，骨粗鬆症，大腿骨および上腕骨等の骨頭無菌性壊死，ミオパチー，緑内障，後嚢白内障，血栓症，心筋梗塞，脳梗塞，動脈瘤，硬膜外脂肪腫，腱断裂など	悪心，嘔吐，胃痛，不眠，頭痛，多幸症，筋肉痛，関節痛，満月様顔貌，浮腫，血圧上昇，月経異常	バルビツール酸誘導体，フェニトイン，リファンピシン，抗凝血薬，経口糖尿病用薬，インスリン製剤，利尿薬(K保持性利尿薬を除く)，エストロゲン(経口避妊薬を含む)など
点鼻用血管収縮薬	ナファゾリン硝酸塩(プリビナ®)，オキシメタゾリン塩酸塩(ナシビン®)，トラマゾリン塩酸塩(トラマゾリン®)，塩酸テトラヒドロゾリン・プレドニゾロン含有(コールタイジン®)		過敏症状，眠気，神経過敏，頭痛，血圧上昇，くしゃみ，鼻の熱感，刺激痛	MAO阻害薬
生物抽出製剤	ワクシニアウイルス接種家兎炎症皮膚抽出液含有製剤(ノイロトロピン®)	ショック，アナフィラキシー，肝障害，黄疸	発疹，眠気，喘息発作，血圧上昇，心悸亢進，頭痛，悪心，ほてり	
舌下免疫療法薬	標準化スギ花粉エキス(シダトレン®)	ショック，アナフィラキシー	口内炎(1.9%)，舌下腫脹(1.9%)，咽喉頭瘙痒感(1.9%)，頭痛(1.1%)	
生物学的製剤	オマリズマブ(ゾレア®)	ショック，アナフィラキシー	紅斑，腫脹，頭痛，蕁麻疹，瘙痒感，疼痛，出血，熱感，硬結	

(鼻アレルギー診療ガイドライン2024)

Hum Psychopharmacol 2011；**26**：133-139.

3）Yanai K, Tashiro M：The physiological and pathophysiological roles of neuronal histamine；an insight from human positron emission tomography studies. Pharmacol Ther 2007；**113**：1-15.

4）古本祥三，谷内一彦：薬物動態評価のPET分子イメージング. Drug Delivery System 2011；**26**：401-409.

5）上川雄一郎：鼻アレルギー治療薬の副作用・薬剤相互作用. Prog Med 2009；**29**：319-325.

6）上川雄一郎：薬物代謝と薬物相互作用. 日本耳鼻咽喉科学会会報 2009；**112**：1-11.

7）木津純子ほか：インターネット調査による抗ヒスタミン薬服用患者の実態調査（その1），症状と治療に関して. アレルギー・免疫 2011；**18**：1180-1189.

8）木津純子：安全な自動車運転を考慮した服薬指導. 医学のあゆみ 2018；**266**：159-164.

4．アレルゲン免疫療法（Allergen immunotherapy）

　アレルゲン免疫療法は100年以上の歴史をもち，病因アレルゲンを投与していくことで，アレルゲンの曝露により引き起こされる症状を緩和する治療法である。一般的な対症薬物療法とは異なり，アレルギー疾患の自然経過の修飾が期待される。現在までアレルギー性鼻炎に対する有効な予防治療法は確立されていないため，アレルゲン免疫療法はアレルギー性鼻炎の根本的な治療法として重要な位置付けにある。アレルゲン免疫療法には，皮下免疫療法（subcutaneous immunotherapy；SCIT）と舌下免疫療法（sublingual immunotherapy；SLIT）がある。SCITは，まれながら重篤な全身性副反応がみられることがあり，また注射のために頻回の通院が必要となる。一方，より安全性の高いSLITが保険適用となり，小児の適応も拡大されている。SLITの有効性については，近年国内および国外のプラセボ対照二重盲検比較試験から高いエビデンスが示されている。通年性アレルギー性鼻炎および季節性アレルギー性鼻炎の症状およびQOLを改善し，薬物の使用量を減らすことが期待できる。小児においても成人と同様に効果が期待できる。適切に治療を行った場合，治療開始から1年程度で症状改善効果がみられるが，3年以上の継続により，治療中止後も有効性の持続が期待できる。治療終了後の再発症例に対し，治療の再開により改善効果が期待される。花粉を原因とするアレルギー性鼻炎に対しアレルゲン免疫療法は気管支喘息の発症を抑制する可能性がある。新規アレルゲン感作を抑制する可能性が報告されているが，エビデンスが十分ではない。合併する口腔アレルギー症候群に対する改善効果は明らかでない。

1）アレルゲン免疫療法の作用機序

　アレルゲン免疫療法の推定される機序として，皮下もしくは舌下に投与された大量のアレルゲンは，皮膚もしくは口腔粘膜の樹状細胞に取り込まれたのち，樹状細胞の形質変化を引き起こす。樹状細胞より抗原提示を受けた特異的ナイーブT細胞から，Th1細胞，および制御性T細胞が誘導される。制御性T細胞からはIL-10などの抑制性サイトカインが産生される。これらは特異的Th2細胞に対して機能を抑制し，2型サイトカインの産生が抑制される。さらに制御性B細胞の誘導や，濾胞性ヘルパーT細胞の機能変化が誘導され，B細胞へ特異的IgEへのクラススイッチを抑制するとともに，特異的IgG_4やIgA産生を誘導する。これらは複合的に作用し，マスト細胞，好塩基球，および好酸球の活性化を抑制する方向へ働き，アレルゲン曝露時のアレ

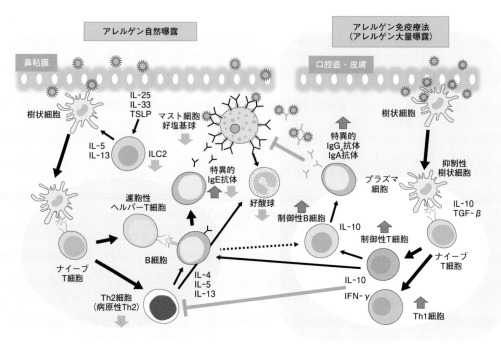

図12　アレルゲン免疫療法の作用機序
アレルゲン免疫療法の施行により増加するもの(⬆),減少するもしくは機能が低下するもの(⬇),増加したのち減少するもの(⬆⬇)。
➡:促進, ▬:抑制
IL:インターロイキン, IFN:インターフェロン, TSLP:thymic stromal lymphopoietin
(鼻アレルギー診療ガイドライン2024)

ルギー症状の誘導が抑制される。さらに近年,アレルゲン免疫療法により2型自然リンパ球(ILC2)やIL-5産生性の病原性Th2細胞の抑制が示され,病態修飾への関与が示唆されている(図12)。

2)適 応

　原因アレルゲンの診断が確定している患者が適応である。軽症から最重症まで適応となる。一般的な対症薬物療法が奏効しない患者,薬物療法の減量を望む患者,薬物療法で望ましくない副作用が現れる患者などがよい適応となる。その目的は薬物療法と異なり,長期寛解にある。SCITおよびSLITでは,低出生体重児,新生児,乳児または5歳未満の幼児に対する安全性は,確立されていない。原則として5歳以上で全身的に重篤な疾患をもたず,全身ステロイド薬や抗腫瘍薬などで免疫調節されていない患者が適応である。さらに,救急用アドレナリンが使用可能な患者は適応としてよい。このことから,高血圧などで非選択的β遮断薬を使用している患者には慎重に投与する。また重症気管支喘息も適応にならない。治療の継続においては,妊娠への影響はないと考えられているが,新たに始める場合は注意を要する。現在,アレルギー性鼻炎に対するSCITとして,スギ花粉,ダニ,およびブタクサを原因とするアレルギー性鼻炎に対して治療エキスが市販されているが,ブタクサ花粉エキスは標準化されていない。SLITとして,スギ花粉およびダニを原因とするアレルギー性鼻炎に対する治療薬が承認されている(表

表26　主なアレルゲン免疫療法薬

	ダニ	スギ花粉
皮下 （SCIT）	治療用ダニアレルゲンエキス皮下注「トリイ」	治療用標準化アレルゲンエキス皮下注「トリイ」スギ花粉
舌下 （SLIT）	アシテア®ダニ舌下錠 ミティキュア®ダニ舌下錠	シダキュア®スギ花粉舌下錠

（2023年12月現在）
（鼻アレルギー診療ガイドライン2024）

26）。

3）皮下免疫療法（SCIT）の実施法

SCITの施行法において，副作用を少なくし，効果を上げるためには次のことを考慮して行うとよい。

①アレルギー領域の専門的知識と経験を十分にもった医師が抗原エキスの種類と量を決定し，またショックなどの全身反応に対処できなければならない。もしショックが生じた際には，第6章のⅥ・アナフィラキシー（pp.114～123）を参照し，速やかに対処する。

②現在，スギ花粉，ダニ，およびブタクサの抗原エキスが市販されている。スギ花粉およびダニ抗原エキスが標準化されている。ブタクサ抗原エキスは標準化されていない。

③重症気管支喘息合併症例では，発作期には呼吸機能を悪化させるので行わない。

④初回注射量は，皮下反応閾値濃度かその1/10にする。気管支喘息の合併がなければ閾値濃度でもよい。投与濃度，投与量については，毎回必ず複数の医師，看護師が確認してから，前腕あるいは上腕の皮下に注射を行う。

⑤濃度を上げるとき，ロットが変わるときは，より注意する。紅斑直径が50mm以上では慎重に実施する。注射後20～30分間は監視下におく。

⑥治療期間は3年以上が推奨される。その後，中止しても効果は持続する例が多い。

⑦継続治療ができるように患者を指導する。説明・指導文書の1例を**表27**に示す。

⑧治療からの脱落を防ぐため，通院回数を減少させ，入院で維持量まで早期に到達させるラッシュ法（rush），維持量までの注射回数を減らした急速法（rapid）などがある。

4）舌下免疫療法（SLIT）の実施法

SLITの施行において，次の点に考慮した実際の施行を勧める。

①SLITの施行にあたっては薬剤ごとに製薬企業のe-ラーニングを受講する必要があり，受講終了後にそれぞれの薬剤について処方する資格が与えられる。

②小児に対しては本剤を適切に舌下投与できると判断された場合にのみ行う。低出生体重児，新生児，乳児または5歳未満の幼児に対する安全性は確立されていない。

③重症気管支喘息の患者，本剤でショックを起こした既往のある患者は適応としない。悪性腫瘍，または免疫系に影響を及ぼす全身疾患のある患者には慎重に投与する。

表27　皮下免疫療法（SCIT）の説明・指導文書例

１．皮下免疫療法（SCIT）とは

　アレルギー性鼻炎（含花粉症）は，アレルゲン（または抗原）と呼ばれる原因物質（ダニ，スギ花粉など）によって引き起こされます。SCITとはアレルゲンの皮下注射を繰り返し行うことにより，根本的な体質改善を期待する方法です。アレルギーの原因となっているアレルゲンのエキス（製剤）の注射をごく少量から開始し，少しずつ量を増やしていき，アレルギーが起きないように体を慣らしていく治療法です。

２．治療の流れ

　SCITの具体的な方法としては，まず血液検査や皮内テストで，患者さんのアレルギーの原因（抗原）を確かめます。そのうえで，薄く希釈したエキスを少量から注射していきます。はじめは週１回，少しずつ量を多く，濃度を高くしていき，適当な濃度になったら間隔をあけ，２週に１回から最終的には月１回にして，その濃度（維持量）を続けていきます。効果がでるまでに約３カ月はかかります。効果を維持するために，できれば３年以上月１回の注射を続けます。なお，当院への通院が難しい場合や治療途中での転居の必要が生じた場合は，近くのアレルギー専門医療機関を紹介のうえ治療を続けることも可能です。

３．有効性について

　治療効果はダニで80〜90％，スギ花粉でも70％前後の有効性が認められています。また３年以上治療を続けられた患者さん（有効例）では，治療終了後４〜５年経過した時点での追跡調査で80〜90％の効果の持続が認められています。特にダニによるアレルギーに対するSCITは，有効性，安全性ともに高く，１年を通じて明らかに症状のある患者さんには，積極的にお薦めしています。飲み薬はあくまで一時的に症状を抑えるだけで，根本的な治療ではありません。

４．安全性について

　副作用としては注射部位の腫れが最も多く，そのほか全身の発赤，ショック症状，喘鳴などがごくまれに起こることがあります。ただし，これらの副作用の多くは注射後30分以内に起こるため病院での適切な処置により，すべて回復するものです。また妊娠に際しての有害事象の報告はなく，治療を続けることが可能です。

（鼻アレルギー診療ガイドライン2024）

④施行方法は薬剤ごとに異なるので，それに従って使用する。錠剤では１分間，あるいは完全溶解するまで舌下で保持するなど異なるので，注意する。

⑤患者に対しては，治療が自宅で行われるため治療の意義などを十分に理解していないと継続が難しく，インフォームド・コンセントが非常に重要となる（**表28**）。

⑥治療開始前に十分に説明した上で，長期間の治療を受ける意思があること，適切な方法によって舌下への投与を毎日継続できること，少なくとも１カ月に１度受診可能であること*，局所反応やアナフィラキシーを含む副作用などの対処法が理解できること，無効例も存在すること，効果が減弱することがあること，などを確認する必要がある。

　*アレルギー診療の経験豊富な医師が，安全に継続的に服用している患者に処方する場合は，受診間隔延長は可能である。

⑦初回投与は必ず，処方した医師の前で施行し，30分間は監視下におく必要がある。

⑧投与部位である口腔内を中心に副反応が認められることがある。副反応は，投与初期から１カ月程度に出現することが多い。初回は数時間続くこともあるが，徐々に発現時間が短くなっていき，ほとんどの症例は未治療でも，数週間程度で回復する。しかし，副反応が

表28　舌下免疫療法（SLIT）の説明・指導文書例

1．舌下免疫療法（SLIT）とは
アレルギー性鼻炎（含花粉症）は，アレルゲン（または抗原）と呼ばれる原因物質ダニ，スギ花粉など）によって引き起こされます。SLITとは，アレルギーの原因となっているアレルゲンを舌の下（舌下）に，繰り返し投与することにより，体をアレルゲンに慣らし，症状を和らげる治療法です。根本的な体質改善（長期寛解・治癒）も期待されます。現在，スギ花粉症およびダニアレルギー性鼻炎に対して治療が行われています。
2．治療の流れ
SLITの具体的な方法としては，まず，問診と血液検査または皮膚テストで，患者さんのアレルギーの原因（アレルゲン）を確かめます。気管支喘息や口腔内に傷や炎症のある方，他の疾患で治療を受けている方，妊婦・授乳婦の方などでは，SLITによる治療を受けられないことがあります。治療は，1日1回舌下に薬剤を投与します。投与後は1分間，あるいは完全に溶解するまで舌下に保持し，その後飲み込みます。投与後5分間はうがいや飲食を控えます。また，投与前および投与後2時間程度は入浴や飲酒・激しい運動を避けます。投与する薬剤（アレルゲン）の量は徐々に増量します（スギ花粉症なら1週間，ダニアレルギー性鼻炎なら3日から1週間など）。副作用への対応を考慮し，初回投与は医療機関内で行い，その後30分間は医師の監視下で待機します。翌日（2日目）からは，自宅で患者さん自身が投与しますが，日中や家族のいる場所での投与が推奨されます。治療期間は3〜5年が推奨されます。また，投与を長期中断した後，再開する場合は，医師に相談する必要があります。なお，当院への通院が難しい場合や治療途中での転居の必要性が生じた場合は，近くのアレルギー専門医療機関を紹介のうえ治療を続けることも可能です。
3．有効性について
一般的にSLITを含むアレルゲン免疫療法では，8割前後の患者さんで有効性が認められています。スギ花粉症およびダニアレルギー性鼻炎に対するSLITにおいても，種々の報告からその有効性・安全性が確認されています。また，飲み薬や点鼻薬，点眼薬はあくまで一時的に症状を抑えるだけで，根本的な治療ではありません。根本的な体質改善（長期寛解・治癒）を望む患者さんには，積極的にお薦めしています。
4．安全性について
副作用としては投与部位である口腔内の腫れ，かゆみなどが最も多くみられます。特に，投与後少なくとも30分間，投与開始初期のおよそ1カ月などは注意が必要です。これらの副作用は投与後数時間で自然に回復することが多いですが，症状が長時間持続する場合は，医師に相談してください。また，アナフィラキシーなど重篤な症状が起こる可能性もあります。アナフィラキシーと考えられる症状が発現した際は，直ちに医療機関を受診するなど迅速な対応が必要です。

（鼻アレルギー診療ガイドライン2024）

　　数時間で軽減しないような場合は，医師に連絡するように患者に指導しておく必要がある。

⑨医療機関においては，アナフィラキシーなどに対応するための緊急使用薬剤の整備とスタッフ教育が重要である。加えて，SLITでも患者にアナフィラキシーなどの副反応が起きる可能性があること，その際の対処法について理解させることも重要である。

⑩ダニとスギ花粉に対するSLITの併用治療については，4週間の間隔を開けて開始することで，それぞれの単独治療と比較し安全性は同等である。

⑪スギ花粉症およびダニ通年性アレルギー性鼻炎におけるSLITのプロトコールの例を表29

表29　スギ花粉症におけるSLITのプロトコールの1例
　　　（シダキュア®スギ花粉舌下錠）

	増量期	維持期
	1週目 2,000JAU	2週目以降 5,000JAU
1日目		
2日目		
3日目		
4日目	1錠	1錠
5日目		
6日目		
7日目		

（鼻アレルギー診療ガイドライン2024）

表30　ダニ通年性アレルギー性鼻炎におけるSLITのプロトコールの1例（ミティキュア®ダニ舌下錠）

	増量期	維持期
	1週目 3,300JAU	2週目以降 10,000JAU
1日目		
2日目		
3日目		
4日目	1錠	1錠
5日目		
6日目		
7日目		

（鼻アレルギー診療ガイドライン2024）

表31　ダニ通年性アレルギー性鼻炎におけるSLITのプロトコールの1例（アシテア®ダニ舌下錠）

	増量期	維持期
	2日目まで 100IR （19,000JAU）	3日目以降 300IR （57,000JAU）
1日目	1錠	－
2日目	2錠	－
3日目	－	1錠

漸増期間は原則として3日間とするが，患者の状態に応じて適宜延長する。

（鼻アレルギー診療ガイドライン2024）

〜31に示す。

⑫スギ花粉舌下錠を3シーズン投与すると，投与終了後2シーズン目までプラセボ群と比較し有意に症状スコアが低値であり，治療終了後の効果の持続が確認されている。

⑬スギ花粉舌下錠は，スギ花粉飛散期に続くヒノキ花粉飛散期においても，プラセボ群に対し症状をスギ花粉期と同程度に軽減することが報告されている。一方，実臨床ではスギ・ヒノキ花粉症患者の中にヒノキ花粉飛散期になると症状の悪化を示す患者もみられることから，イネ科花粉などによる多重アレルゲン感作の影響やアレルゲンの組成の違い，飛散量による効果の地域差などを検討する必要がある。

参考文献

1) Noon L：Prophylactic inoculation against hay fever. Lancet 1911；1：1572-1573.
2) Bousquet J, et al.：Allergen immunotherapy：therapeutic vaccines for allergic diseases. World

Health Organization. American Academy of Allergy, Asthma and Immunology. Ann Allergy Asthma Immunol 1998；**81**：401-405.

3）横島一彦ほか：ハウスダスト鼻アレルギーの減感作療法における増量法についての検討. 耳鼻咽喉科・頭頸部外科 1998；**70**：722-727.

4）伊藤幸治：「アレルギー疾患に対する治療ワクチン」に対する世界保健機構（WHO）の見解. アレルギー 1998；**47**：749-794.

5）奥田 稔：鼻アレルギー（第2版）. pp.387-421, 医薬ジャーナル社, 大阪, 2005.

6）奥田 稔：スギ花粉症免疫療法の長期予後. アレルギー 2006；**55**：655-661.

7）Okamoto Y, et al.：Efficacy and safety of sublingual immunotherapy for two seasons in patients with Japanese cedar pollinosis. Int Arch Allergy Immunol 2015；**166**：177-188.

8）Gotoh M, et al.：Long-term efficacy and dose-finding trial of Japanese cedar pollen SLIT tablet. J Allergy Clin Immunol Pract 2019；**7**：1287-1297. e8.

9）Yonekura S, et al.：Disease-modifying effect of Japanese cedar pollen sublingual immunotherapy tablets. J Allergy Clin Immunol Pract 2021；**9**：4103-4116.e14.

10）Okubo K, et al.：Efficacy and safety of the SQ house dust mite sublingual immunotherapy tablet in Japanese adults and adolescents with house dust mite-induced allergic rhinitis. J Allergy Clin Immunol 2017；**139**：1840-1848.

11）Okamoto Y, et al.：House dust mite sublingual tablet is effective and safe in patients with allergic rhinitis. Allergy 2017；**72**：435-443.

12）Masuyama K, et al.：Efficacy and safety of SQ house dust mite sublingual immunotherapy-tablet in Japanese children. Allergy 2018；**73**：2352-2363.

13）Okamoto Y, et al.：Efficacy of house dust mite sublingual tablet in the treatment of allergic rhinoconjunctivitis：a randomized trial in a pediatric population. Pediatr Allergy Immunol 2019；**30**：66-73.

14）Gotoh M, et al.：Safety profile and immunological response of dual sublingual immunotherapy with house dust mite tablet and Japanese cedar pollen tablet. Allergol Int 2020；**69**：104-110.

15）Durham SR, et al.：SQ-standardized sublingual grass immunotherapy：confirmation of disease modification 2 years after 3 years of treatment in a randomized trial. J Allergy Clin Immunol 2012；**129**：715-725.

16）Huang Y, et al.：Efficacy and safety of subcutaneous immunotherapy with house dust mite for allergic rhinitis：a meta-analysis of randomized controlled trials. Allergy 2019；**74**：189-192.

17）Marogna M, et al.：Long-lasting effects of sublingual immunotherapy according to its duration：a 15-year prospective study. J Allergy Clin Immunol 2010；**126**：969-975.

18）アレルギー性鼻炎に対する舌下免疫療法の指針作成委員会：アレルギー性鼻炎に対する免疫療法の指針. 日鼻誌 2014；**53**：579-600.

19）日本アレルギー学会「アレルゲン免疫療法の手引き」作成委員会：アレルゲン免疫療法の手引き. 日本アレルギー学会, 2022.

20）Halken S, et al.：EAACI guidelines on allergen immunotherapy：prevention of allergy. Pediatr Allergy Immunol 2017；**28**：728-745.

21）Mitthamsiri W, et al.：Decreased CRTH2 expression and response to allergen re-stimulation on innate lymphoid cells in patients with allergen-specific immunotherapy. Allergy Asthma Immunol Res 2018；**10**：662-674.

22）Eljaszewicz A, et al.：Trained immunity and tolerance in innate lymphoid cells, monocytes, and dendritic cells during allergen-specific immunotherapy. J Allergy Clin Immunol 2021；**147**：1865-1877.

23）Ihara F, et al.：Identification of specifically reduced Th2 cell subsets in allergic rhinitis patients after sublingual immunotherapy. Allergy 2018；**73**：1823-1832.

24) Roberts G, et al.：EAACI guidelines on allergen immunotherapy：allergic rhinoconjunctivitis. Allergy 2018；**73**：765-798.

25) Pitsios C, et al.：Clinical contraindications to allergen immunotherapy：an EAACI position paper. Allergy 2015；**70**：897-909.

26) Bousquet J, et al.：ARIA working group. 2019 ARIA care pathways for allergen immunotherapy. Allergy 2019；**74**：2087-2102.

27) Brozek JL, et al.：Allergic Rhinitis and its Impact on Asthma（ARIA）guidelines：2010 revision. J Allergy Clin Immunol 2010；**126**：466-476.

28) Yonekura S, et al.：Japanese cedar pollen sublingual immunotherapy is effective in treating seasonal allergic rhinitis during the pollen dispersal period for Japanese cedar and cypress. Allergol Int 2022；**71**：140-143.

29) 湯田厚司ほか：スギ花粉舌下免疫療法のヒノキ花粉飛散期の臨床効果. 日耳鼻 2017；**120**：833-840.

5．手　術(Surgical treatment)

　手術療法はアレルギー性鼻炎を治癒させる治療ではないが，鼻炎に関連する諸症状を強く抑制することができる。重症アレルギー性鼻炎で保存治療に抵抗するものや，鼻腔形態異常を伴う症例に推奨されるが，患者のニーズや受験や出産などの社会的背景によっても適応を考慮する。日本においては多彩な術式の手術がアレルギー性鼻炎に対して行われているが各術式の特徴をよく把握し，症例によって適切な術式を選択する必要がある。

　手術は治療の目的によって以下の３種類に分類できる。

　①鼻粘膜変性手術（下甲介粘膜レーザー焼灼術，下甲介粘膜焼灼術など）

　②鼻腔形態改善手術（内視鏡下鼻腔手術Ⅰ型，内視鏡下鼻中隔手術Ⅰ型など）

　③鼻漏改善手術（経鼻腔的翼突管神経切断術など）

　それぞれの代表的な術式をまとめると，**図13**のように様々な術式の手術が行われているが，症例によってはこれらの術式を組み合わせて手術が行われている。粘膜下下鼻甲介骨切除術や後鼻神経切断術など観血的なものから，レーザー手術のような非観血的な低侵襲手術まで，選択の幅があり個々の症例に合わせて術式を決定することが望ましい。

　鼻中隔矯正術，粘膜下下鼻甲介骨切除術などの骨に対する侵襲を伴う手術に対して，骨格の成長を控える低年齢の小児に対するエビデンスは十分な蓄積がなく，レーザー下鼻甲介粘膜手術などはより低侵襲で小児に対して適している。一方で，粘膜下下鼻甲介骨切除術や後鼻神経切断術はレーザー手術不応例にも効果が認められる。①鼻粘膜の変性を目的とした手術は，アレルギー性鼻炎の主な病変部位である下鼻甲介粘膜を標的臓器として行われることが多く，レーザー（CO_2，半導体），アルゴンプラズマ，電気メス，刺入電極，超音波メス，UVや赤外線などの光源などを用いて手術が行われるが，デバイスやレーザーの線種によって粘膜変性の深達度，侵襲が変わるので，それぞれのデバイスや目標とする深達度により表面麻酔や浸潤麻酔，適応年齢などを考慮する。

　現在，最も広く行われている鼻粘膜変性手術はCO_2レーザーによる焼灼術である。下鼻甲介粘膜の表面麻酔のみを行い，内視鏡あるいは鼻鏡下にて下鼻甲介全面を焼灼する。出血をさせ

①鼻粘膜変性手術

・下甲介粘膜レーザー焼灼術
・下甲介粘膜焼灼術　など

下鼻甲介粘膜を変性する
ことで症状の発現を抑制
する手術

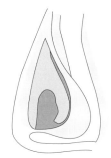

②鼻腔形態改善手術

・内視鏡下鼻腔手術Ⅰ型
　・下鼻甲介粘膜切除術
　・粘膜下下鼻甲介骨切除術
　　など
・内視鏡下鼻中隔手術Ⅰ型
　・鼻中隔矯正術など

不可逆的に形態変化した
粘膜や骨・軟骨を切除す
ることで，鼻閉改善を目
的とした手術

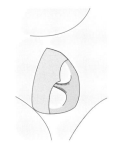

③鼻漏改善手術

・経鼻腔的翼突管神経切断術
　など

後鼻神経など鼻漏分泌神
経を切断することで鼻漏
の抑制を目的とした手術

図13　アレルギー性鼻炎に対する術式

(鼻アレルギー診療ガイドライン2024)

ない程度に，1回あるいは数回に分けて焼灼を行う。焼灼後5～7日程度，反応性鼻汁や鼻閉の増悪が起こるので適宜抗ヒスタミン薬内服などを行う。

　また以前はトリクロール酢酸などで化学的焼灼も行われていたが，現在は焼灼の制御が困難であったり，液垂れによる副損傷などの観点からあまり行われていない。鼻粘膜の変性を目的とした手術は，いずれも低侵襲で外来手術として施行が可能であり，広く実施されている。しかし，鼻腔形態異常を伴う鼻閉に関しては，鼻粘膜変性手術は操作範囲が限局的であり，効果が不十分となるため，②鼻閉の改善を目的とした手術と併用する必要がある。鼻閉の改善を目的とした手術の標的臓器は下鼻甲介と鼻中隔であり，鼻中隔弯曲症を伴う症例では鼻閉に対する治療効果が大きく影響を受けるので，鼻中隔矯正術（内視鏡下鼻中隔手術Ⅰ型）を考慮する。近年鼻中隔矯正術などでは，改善が困難な前弯や外斜鼻を伴う症例で鼻中隔外鼻形成術が行われることがある。下鼻甲介を標的とした手術にはバリエーションがあり，不可逆的に肥厚した下鼻甲介に対して，下鼻甲介骨を切除もしくは外側へ骨折させる。また下鼻甲介粘膜を表面から，あるいは裏面から減量を行う手術が行われることが多い。下鼻甲介粘膜の生理機能を考えると，下鼻甲介全体の切除や，広範囲に粘膜を除去する方法は避けることが望ましい。近年では粘膜下下鼻甲介骨切除と粘膜内で，後鼻神経の末梢枝を切除する選択的後鼻神経切断を同時に行うことも行われている。③鼻漏の抑制は，現在蝶口蓋孔から蝶口蓋動脈と一緒に鼻腔内へ

走行する，翼突管神経の末梢である後鼻神経を切断する手術が行われている。蝶口蓋孔あるいは下鼻甲介粘膜内で末梢枝を切除する方法が一般的である。以前は上顎洞経由でのVidian 神経切断術が行われていたが，涙分泌障害やときに口蓋知覚麻痺，複視などの合併症が指摘されており，現在はほとんど行われていない。凍結手術は比較的早期から行われており，下鼻甲介粘膜の変性や，蝶口蓋孔近傍での後鼻神経の変性に用いられていた。近年では米国を中心に再度注目を集め，神経変性を目的とするcryosurgical ablationとして多数の報告がある。

　一般に手術療法は通年性アレルギー性鼻炎への有効性が報告されてきたが，スギ花粉症に関しても有効性の報告が蓄積されてきている。本邦におけるスギ・ヒノキ花粉症の有病期間から判断すると，ARIAのガイドラインにおける間歇型ではなく，持続型に含まれ海外の季節性アレルギー性鼻炎に対する治療の報告は必ずしも当てはまらないことは周知である。本邦におけるスギ・ヒノキ花粉症に対する手術療法は，花粉飛散期中のアレルギー性鼻炎症状を抑制し，QOLの改善に寄与し，使用薬物量の抑制，免疫療法と同等の効果があるなどの報告がある。多くの報告は花粉飛散期前に手術を行っているが，花粉飛散開始後の手術も有効である報告もある。越年効果は術式や花粉飛散数にも左右されるため，十分なエビデンスの蓄積はない。効果不十分な場合には，アレルゲン免疫療法やアレルギー性鼻炎治療薬などの併用が望ましい。

　手術療法の治療効果は，その性質上，二重盲検試験が行えないので，国際レベルでは有用性が認められていなかったが，2015年に米国耳鼻咽喉科・頭頸部外科学会のガイドライン（Clinical Practice Guideline：Allergic Rhinitis Executive Summary）に推奨度Cで下鼻甲介切除術が，保存療法抵抗症例に対して選択肢のオプションとして加えられている。本ガイドラインのWebサイトにあるエビデンス集では，国内の状況などより推奨度Bとしている。

　注意すべきは，アレルギー性鼻炎の3主徴はいずれも鼻の防御機能として重要な反応なので，それをすべて失うような手術は避けなければならない。

参考文献

1）大久保公裕ほか：アレルギー性鼻炎に対する下鼻甲介粘膜高周波電気凝固術. 日鼻誌　1999；**38**：111-116.

2）Fukazawa K, et al.：Algon plasma surgery for inferior turbinate of patients with perennial nasal allergy. Laryngoscope　2001；**111**：147-152.

3）Mori S, et al.：Long-term effect of submucous turbinectomy in patients with perennial allergic rhinitis. Laryngoscope　2002；**112**：865-869.

4）久保伸夫：花粉症に対する外科的手術療法のEBM．アレルギー科　2002；**13**：120-125.

5）Passali D, et al.：Treatment of inferior turbinate hypertrophy：a randomized clinical trial. Ann Otol Rhinol Laryngol　2003；**112**：683-688.

6）Yao K, et al.：A study of the effectiveness of chemosurgery with trichloroacetic acid for Japanese cedar pollenosis in terms of the chemical mediator levels in the nasal discharge and results of nasal provocation testing. Auris Nasus Larynx　2005；**32**：231-236.

7）Ikeda K, et al.：Effect of resection of the posterior nasal nerve on functional and morphological changes in the inferior turbinate mucosa. Acta Otolaryngol　2008；**128**：1337-1341.

8）Jose J, et al.：Inferior turbinate surgery for nasal obstruction in allergic rhinitis after failed medical treatment. Cochrane Database Syst Rev　2010；**12**：CD005235.

9）朝子幹也ほか：アレルギー性鼻炎の外科的治療，術式の選択と粘膜下下鼻甲介骨後鼻神経合併切除術．日鼻誌　2010；**49**：8-14.

10）Chhabra N, et al.：The surgical management of allergic rhinitis. Otolaryngol Clin North Am 2011；**44**：779-795.

11）Kobayashi T, et al.：Resection of peripheral branches of the posterior nasal nerve compared to conventional posterior neurectomy in severe allergic rhinitis. Auris Nasus Larynx　2012；**39**：593-596.

12）上條　篤ほか：後鼻神経切断術・下鼻甲介手術のスギ花粉症に対する有効性の検討．アレルギー 2013；**62**：560-565.

13）Seidman MD, et al.：Clinical practice guideline：Allergic rhinitis. Otolaryngol Head Neck Surg 2015；**152**（Suppl. 1）：S1-43.

14）Takahara D, et al.：Management of intractable nasal hyperreactivity by selective resection of posterior nasal nerve branches. Int J Otolaryngol　2017；**2017**：1907862.

15）Chang MT, et al.：Cryosurgical ablation for treatment of rhinitis：A prospective multicenter study. Laryngoscope　2020；**130**：1877-1884.

16）Sasaki K, et al：Efficacy of seasonal allergic rhinitis using an 810 nm diode laser system. Laser Therapy　2019；**28**：11-18.

17）濱田聡子ほか：アレルギー性鼻炎手術療法の有効性に関する検討.免アレ感染 2020；**38**：222-223.

Ⅲ・治療法の選択（Strategy and stepwise approach）

1．通年性アレルギー性鼻炎（Perennial allergic rhinitis）

　治療法は病型と重症度の組み合わせで選択するが，その選択は画一的なものではない。**表32**にその１つの選択基準を挙げた。

　一般的に軽症例に対しては，病型にかかわらず①第２世代抗ヒスタミン薬，②ケミカルメディエーター遊離抑制薬，③Th2サイトカイン阻害薬，④鼻噴霧用ステロイド薬のいずれか１つを第一選択とする。眠気，口渇などの副作用がなければ，速効性のある第１世代抗ヒスタミン薬を頓用してもよい。

　中等症例に対して，くしゃみ・鼻漏型では，①第２世代抗ヒスタミン薬，②鼻噴霧用ステロイド薬のいずれか１つを選択する。症状に応じて①と②の併用を行う。

　鼻閉型または充全型のうち，特に鼻閉が強い症例では，①抗ロイコトリエン薬，②抗プロスタグランジンD_2・トロンボキサンA_2薬，③第２世代抗ヒスタミン薬・血管収縮薬配合剤，④鼻噴霧用ステロイド薬のいずれか１つを選択し，症状に応じて①，②に④を併用する。

　重症・最重症例で，くしゃみ・鼻漏型では鼻噴霧用ステロイド薬と第２世代抗ヒスタミン薬（場合により増量）を併用する。鼻閉型または充全型では鼻噴霧用ステロイド薬，抗ロイコトリエン薬または抗プロスタグランジンD_2・トロンボキサンA_2薬の併用，もしくは噴霧用ステロイド薬と第２世代抗ヒスタミン薬・血管収縮薬配合剤の併用を考慮する。また，点鼻用血管収縮薬を最少回数（１〜２回/日），短期間に限って使用する。抗原除去・回避の努力はすべての症例に必要である。継続治療が可能な症例では，アレルゲン免疫療法の適応も選択肢であり，長期寛解も期待できる。鼻中隔弯曲症などの形態異常が明らかな症例，または鼻閉に対する薬物療法の効果が不十分な症例に対しては，手術療法も治療選択肢の１つとなる。

表32　通年性アレルギー性鼻炎の治療

重症度	軽 症	中等症		重症・最重症	
病型		くしゃみ・鼻漏型	鼻閉型または充全型	くしゃみ・鼻漏型	鼻閉型または充全型
治療	①第2世代抗ヒスタミン薬 ②遊離抑制薬 ③Th2サイトカイン阻害薬 ④鼻噴霧用ステロイド薬	①第2世代抗ヒスタミン薬 ②鼻噴霧用ステロイド薬	①抗LTs薬 ②抗PGD₂・TXA₂薬 ③第2世代抗ヒスタミン薬・血管収縮薬配合剤 ④鼻噴霧用ステロイド薬	鼻噴霧用ステロイド薬 ＋ 第2世代抗ヒスタミン薬	鼻噴霧用ステロイド薬 ＋ 抗LTs薬または抗PGD₂・TXA₂薬 もしくは 鼻噴霧用ステロイド薬 ＋ 第2世代抗ヒスタミン薬・血管収縮薬配合剤 症状に応じて点鼻用血管収縮薬を短期間用いる。
		症状に応じて2剤を併用する。	症状に応じて①，②に④を併用する。		
				保存療法に抵抗する症例では手術	
	アレルゲン免疫療法				
	抗原除去・回避				

症状が改善してもすぐには投薬を中止せず，数カ月の安定を確かめて，ステップダウンしていく。
遊離抑制薬：ケミカルメディエーター遊離抑制薬。
抗LTs薬：抗ロイコトリエン薬。
抗PGD₂・TXA₂薬：抗プロスタグランジンD₂・トロンボキサンA₂薬。

（鼻アレルギー診療ガイドライン2024）

2．花粉症（Seasonal allergic rhinitis）

　例年，強い花粉症症状を示す症例では初期療法を勧める。予測される花粉飛散量と，最も症状が強い時期における病型，重症度を基に用いる薬剤を選択する。くしゃみ・鼻漏型では，第2世代抗ヒスタミン薬，ケミカルメディエーター遊離抑制薬，鼻噴霧用ステロイド薬のいずれか1つを，鼻閉型または充全型では抗ロイコトリエン薬，抗プロスタグランジンD₂・トロンボキサンA₂薬，Th2サイトカイン阻害薬または鼻噴霧用ステロイド薬のいずれか1つを用いる。初期療法の開始時期は，使用する薬剤の効果発現に要する時間と，患者の例年の飛散花粉に対する過敏性を念頭において，第2世代抗ヒスタミン薬，抗ロイコトリエン薬，鼻噴霧用ステロイド薬は花粉飛散日または症状が少しでも現れた時点で開始し，その他の薬剤では花粉飛散予測日の1週間前をめどに治療を始める。花粉飛散量の増加とともに症状の増悪がみられる場合には，経口薬で治療開始の場合は，早めに鼻噴霧用ステロイド薬を追加し，さらに表33に従って治療内容をステップアップする。抗プロスタグランジンD₂・トロンボキサンA₂薬を長期に用いる場合には，肝機能を定期的に検査する必要がある。

表33　重症度に応じた花粉症に対する治療法の選択

重症度	初期療法	軽症	中等症		重症・最重症	
病型			くしゃみ・鼻漏型	鼻閉型または充全型	くしゃみ・鼻漏型	鼻閉型または充全型
治療	①第2世代抗ヒスタミン薬 ②遊離抑制薬 ③抗LTs薬 ④抗PGD₂・TXA₂薬 ⑤Th2サイトカイン阻害薬 ⑥鼻噴霧用ステロイド薬	①第2世代抗ヒスタミン薬 ②抗LTs薬 ③抗PGD₂・TXA₂薬 ④鼻噴霧用ステロイド薬	第2世代抗ヒスタミン薬 ＋ 鼻噴霧用ステロイド薬	抗LTs薬または抗PGD₂・TXA₂薬 ＋ 鼻噴霧用ステロイド薬 ＋ 第2世代抗ヒスタミン薬 もしくは 第2世代抗ヒスタミン薬・血管収縮薬配合剤* ＋ 鼻噴霧用ステロイド薬	鼻噴霧用ステロイド薬 ＋ 第2世代抗ヒスタミン薬	鼻噴霧用ステロイド薬 ＋ 抗LTs薬または抗PGD₂・TXA₂薬 ＋ 第2世代抗ヒスタミン薬 もしくは 鼻噴霧用ステロイド薬 ＋ 第2世代抗ヒスタミン薬・血管収縮薬配合剤* 症状に応じて点鼻用血管収縮薬または経口ステロイド薬を併用***
					抗IgE抗体**	
		点眼用抗ヒスタミン薬または遊離抑制薬			点眼用抗ヒスタミン薬, 遊離抑制薬またはステロイド薬****	
					保存療法に抵抗する症例では手術	
		アレルゲン免疫療法				
		抗原除去・回避				

初期療法はあくまでも本格的花粉飛散時の治療に向けた導入であり，よほど花粉飛散が少ない年以外は重症度に応じたシーズン中の治療に早目に切り替える。
遊離抑制薬：ケミカルメディエーター遊離抑制薬。
抗LTs薬：抗ロイコトリエン薬。
抗PGD₂・TXA₂薬：抗プロスタグランジンD₂・トロンボキサンA₂薬。
*本剤の使用は鼻閉症状が強い期間のみの最小限の期間にとどめ，鼻閉症状の緩解がみられた場合には，速やかに抗ヒスタミン薬単独療法などへの切り替えを考慮する。
**最適使用推進ガイドラインに則り使用する。
***点鼻用血管収縮薬を2週間程度，経口ステロイド薬を1週間程度用いる。
****点眼用ステロイド薬使用に関しては，眼科医による服薬チェックなどの診療が必要である。
（鼻アレルギー診療ガイドライン2024）

　症状発現後に来院する症例では，重症・最重症例が少なくない。スギ花粉症の重症・最重症例に対しては，鼻噴霧用ステロイド薬を含めて，単剤での治療は困難であり，花粉飛散量と例年の花粉症症状(病型，重症度)を参考にして，くしゃみ・鼻漏型では鼻噴霧用ステロイド薬と

第2世代抗ヒスタミン薬（場合により増量）を併用する。鼻閉型または充全型では，鼻噴霧用ステロイド薬，抗ロイコトリエン薬または抗プロスタグランジンD_2・トロンボキサンA_2薬，第2世代抗ヒスタミン薬（場合により増量）の併用，もしくは鼻噴霧用ステロイド薬と第2世代抗ヒスタミン薬・血管収縮薬配合剤の併用を考慮する。そして，症状に応じて点鼻用血管収縮薬または経口ステロイド薬を併用し，治療を開始する。

　鼻閉の改善とともに，まず点鼻用血管収縮薬を中止する。点鼻用血管収縮薬は，1～2週間であれば1日3～4回用いても副作用の心配はない。症状の改善とともに，花粉飛散量の変化を念頭におきながら**表33**に従って治療内容をステップダウンする。

　鼻閉，咽頭痛，咽喉頭瘙痒感，咳嗽を含めてさらに花粉症症状が強い症例では，経口ステロイド薬であるプレドニゾロン（20～30mg），またはベタメタゾン（0.25mg）と第1世代抗ヒスタミン薬［d-クロルフェニラミンマレイン酸塩（2mg）］との合剤であるセレスタミン®を4～7日間に限って用いなければならない場合もある。糖尿病，消化性潰瘍，その他のステロイド薬禁忌疾患の合併のないことを確認して用いる。

　抗IgE抗体製剤は，最適使用推進ガイドラインに則り使用する。またスギ花粉症の的確な診断と，過去の鼻噴霧用ステロイド薬とケミカルメディエーター受容体拮抗薬の投与，既存治療で不十分な理由なども診療報酬明細書に記載する必要がある。

　現在，薬物療法の進歩により，花粉症は早期に治療を開始し，症状に応じて，複数の作用機序の異なる薬剤を組み合わせて治療することにより，重症化を防げる症例が多い。ただし，アレルギー性鼻炎治療薬の効果と副作用は，個人差が大きいために医師と患者の協力によって，できるだけ早い時期に個々の患者に最も適した治療法をみつける必要がある。

　アレルゲン免疫療法は，継続治療が可能な症例に対しては重要な選択肢であり，長期寛解も可能である。SCITに加えて，SLITもその選択肢として存在する。花粉症における感作・発症の低年齢化と重複感作症例の増加がある。小児期発症スギ花粉症の寛解の頻度は特に低いために，長期展望に立った治療法の選択が必要である。アレルゲン免疫療法は，選択肢の1つとして重要である。

　抗原からの回避は，患者自身にしかできない治療方法である。スギ花粉症では唯一抗原量を知り得る状況にあり，花粉飛散情報の活用，メガネ，マスクなどの使用に対する啓蒙は，患者とのコミュニケーションのうえからも大切にすべきである。

　毎年，鼻閉が強く，薬物療法の効果が不十分な症例では，鼻中隔弯曲症，肥厚性鼻炎，鼻茸などの鼻腔形態異常の有無について，耳鼻咽喉科専門医の診察を受ける必要があり，CO_2レーザーなどの凝固療法，そして永続的な鼻腔形態異常の場合，手術的に矯正することにより，花粉飛散時期の鼻閉は改善する。

　花粉症では眼症状を呈することが多い。ケミカルメディエーター遊離抑制薬，第2世代抗ヒスタミン薬の点眼薬を用いるが，効果が不十分な場合，点眼用ステロイド薬を考慮する。この場合，眼圧のチェックなど眼科医による診療が必要である。

参考文献

1）奥田　稔ほか：アレルギー性鼻炎の治療法．臨床科学　1983；**19**：447-449．

2）奥田　稔：鼻アレルギー診断，治療のポイント．日本医師会雑誌　1985；**93**：868-871．

3）奥田　稔：アレルギー性鼻炎のアレルゲンと生活管理．Medical Practice　1987；**4**：404-408．

4）馬場廣太郎ほか：スギ花粉症の自然治癒について．耳鼻　1991；**37**：1187-1191．

5）今野昭義ほか：スギ花粉症と加齢―感作・発症に与える加齢の影響―．医学のあゆみ　2002；**200**：411-416．

6）Yanez A, et al.：Intranasal corticosteroids versus topical H_1 receptor antagonists for the treatment of allergic rhinitis：a systematic review with meta-analysis. Ann Allergy Asthma Immunol 2002；**89**：479-484.

7）洲崎春海ほか：スギ花粉症に対するラマトロバンの効果―東京都内多施設オープン試験―．耳鼻咽喉科展望　2002；**45**：517-526．

8）今野昭義：アレルギー性鼻炎．最新医学別冊，最新医学社，大阪，2003．

9）奥田　稔ほか：スギ花粉症の治療と患者満足度への影響．アレルギー　2004；**53**：596-600．

10）Rodrigo GJ, et al.：The role of anti-leukotriene therapy in seasonal allergic rhinitis：a systematic review of randomized trials. Ann Allergy Asthma Immunol　2006；**96**：779-786.

11）大久保公裕：季節性アレルギー性鼻炎に対するフェキソフェナジン塩酸塩と塩酸プソイドエフェドリン配合剤の有効性及び安全性の検討：第Ⅱ相/第Ⅲ相，ランダム化，二重盲検，並行群間比較試験．アレルギー・免疫　2012；**19**：134-146．

12）Kurokawa T, et al.：Efficacy of Japanese cedar pollen sublingual immunotherapy tablets for Japanese cypress pollinosis. J Allergy Clin Immunol Glob　2022；**2**：100075.

13）Gotoh M, et al.：Same dose of Japanese cedar pollen sublingual immunotherapy tablets is optimal for allergic rhinitis caused by either Japanese cedar or Japanese cypress pollen. Allergy　2023；**78**：563-568.

14）Yonekura S, et al.：Japanese cedar pollen sublingual immunotherapy is effective in treating seasonal allergic rhinitis during the pollen dispersal period for Japanese cedar and Japanese cypress pollen. Allergol Int　2022；**71**：140-143.

15）Okubo K, et al.：Add-on omalizumab for inadequently controlled severe pollinosis despite standard-of-care；a randomized study. J Allergy Clin Immunol Pract　2020；**8**：3130-3140.e2.

Clinical Question & Answer

■文献検索および組入論文の選択

　文献はPubMed, Cochrane CENTRAL, embase, 医学中央雑誌Web版などのデータベースを対象とし，基本的に言語制限なし，検索期間限定なしで検索を行った。

■エビデンスの強さの決定

　適格基準を満たした論文より，対象患者，方法，アウトカムなどについてデータを抽出し，メタアナリシスを実施した。研究のバイアスリスク，結果の非一貫性，エビデンスの非直接性，データの不精確さ，出版バイアスを元に，個々のアウトカムについてエビデンスの確実性を「高（High）」「中（Moderate）」「低（Low）」「非常に低（Very low）」の４段階で判断を行った。その上で全体的なエビデンスの強さを４段階で評価を行った。

■推奨決定のためのエビデンスの確実性（強さ）

高（A）：真の効果が効果推定値に近いことに大きな確信がある。

中（B）：効果推定値に対し中等度の確信がある。つまり，真の効果は効果推定値に近いと考えられるが，大きく異なる可能性も否めない。

低（C）：効果推定値に対する確信性には限界がある。真の効果は効果推定値とは大きく異なるかもしれない。

非常に低（D）：効果推定値に対し，ほとんど確信がもてない。真の効果は，効果推定値とは大きく異なるものと考えられる。

■推奨の強さ

1（強い）：「行うこと」または「行わないこと」を推奨する。

2（弱い）：「行うこと」または「行わないこと」を提案する。

として，CQ＆Aの推奨に関して委員会で投票を行い賛成合意の割合を投票合意率で示した。

Clinical Question 1

重症季節性アレルギー性鼻炎の症状改善に抗IgE抗体製剤は有効か。

Answer（推奨）

　オマリズマブ（抗IgE抗体）は，抗ヒスタミン薬と鼻噴霧用ステロイド薬の併用でも症状の残る患者に対して，くしゃみ，鼻汁，鼻閉，流涙，眼のかゆみ，鼻の症状，眼の症状スコア，生活の質を改善する。最適使用推進ガイドラインを満たす場合，抗IgE抗体製剤の投与を強く推奨する。

［投票合意率 100%（13/13）］

推奨の強さ：強い

エビデンスの確実性：A

【エビデンスの要約】

　オマリズマブ（ゾレア®）はIgEのマスト細胞結合部位$C\varepsilon3$に対するヒト化抗ヒトIgEモノクローナル抗体であり，花粉症に対する単剤での効果は，欧米と日本でのエビデンスで証明されている。スギ花粉症に対する無作為二重盲検プラセボ対照試験では，血清総IgEと体重に基づいて，オマリズマブおよびプラセボを投与され，鼻症状投薬スコア，眼症状投薬スコアは，プラセボ群よりもオマリズマブ群で有意に低く（$p<0.01$），その効果と安全性が示された[1]。

　症状コントロール不十分の成人/思春期の重症スギ花粉症患者337例を対象とした抗ヒスタミン薬と鼻噴霧用ステロイド薬に対するオマリズマブの併用効果を観察した無作為二重盲検プラセボ対照試験が行われ，実薬群でくしゃみ，鼻汁，鼻閉，流涙，眼のかゆみ，鼻の症状スコア（-1.03，$p<0.001$），眼の症状スコア（-0.87，$p<0.001$），生活の質（QOL）においてプラセボ群に比べ有意に改善している[2]。

　スギ花粉症では労働生産性と労働活動障害の可能性が指摘されている。オマリズマブ使用の臨床試験での労働生産性および活動障害のアンケートの結果より，重症以上のスギ花粉症患者の労働生産性の損失をほぼ1/3に減少させ，労働活動に関して実質的な利益をもたらす可能性があることが判明した[3]。なお，参考文献2）には企業社員が共著者に入っており引用されるべきではないが，エビデンスレベルが高く信頼性があるため参考文献とした。

参考文献

1 ）Okubo K, et al.：Omalizumab is effective and safe in the treatment of Japanese cedar pollen-induced seasonal allergic rhinitis. Allergol Int　2006；**55**：379-386.
2 ）Okubo K, et al.：Add-on omalizumab for inadequently controlled severe pollinosis despite standard-of-care：a randomised study. J Allergy Clin Immunol Pract　2020；**8**：3130-3140.
3 ）Müller M, et al.：The impact of omalizumab on paid and unpaid work productivity among severe Japanese cedar pollinosis（JCP）patients. J Med Econ　2022；**25**：220-229.

Clinical Question 2

アレルギー性鼻炎患者に点鼻用血管収縮薬は鼻噴霧用ステロイド薬と併用すると有効か。

Answer（推奨）

点鼻用血管収縮薬は短期間に限定して用いるが，鼻噴霧用ステロイド薬と併用して投与するとリバウンド現象が予防され鼻症状に対して有効であるため，点鼻用血管収縮薬は鼻噴霧用ステロイド薬と併用することを弱く推奨する。

［投票合意率 100%（13/13）］

推奨の強さ：弱い

エビデンスの確実性：B

【エビデンスの要約】

アレルギー性鼻炎患者の鼻閉の治療に点鼻用血管収縮薬の短期使用は有効である。ただ，効果は2〜4時間と一過性であり，鼻閉以外の鼻漏，かゆみ，くしゃみは改善しない。

点鼻用血管収縮薬の長期使用は，鼻粘膜のリバウンド現象を引き起こし，逆に腫脹が生じて，鼻閉が引き起こされることが報告されている。粘性鼻漏の出現，鼻粘膜の過敏性亢進もみられ，薬剤性鼻炎の大きな原因となることが知られている。治療には点鼻用血管収縮薬の使用中止と数週間の鼻噴霧用ステロイド薬での治療が必要である。点鼻用血管収縮薬を1日3回使用すると2週間で鼻腔の気流低下と抵抗増加がみられるが，鼻噴霧用ステロイド薬の使用で3日後に回復する[1]。1日1回点鼻用血管収縮薬と鼻噴霧用ステロイド薬を併用して1カ月投与すると，鼻症状に対する高い効果が示され，リバウンド現象も予防できる[2]。睡眠時無呼吸を伴う小児アレルギー性鼻炎患者に対しても，1日1回点鼻用血管収縮薬と鼻噴霧用ステロイド薬を併用して2カ月投与すると，リバウンド現象なく鼻症状に対する高い効果が認められる[3]。ただし，点鼻用血管収縮薬と鼻噴霧用ステロイド薬の併用によるリバウンド現象の予防効果を確立するためには，多施設での検証が必要である。使用する場合は，短期間に留めるべきである。なお，2歳未満の乳幼児には禁忌となっている。

参考文献

1）Vaidyanathan S, et al.：Fluticasone reverses oxymetazoline-induced tachyphylaxis of response and rebound congestion. Am J Respir Crit Care Med 2010；**182**：19-24.

2）Baroody FM, et al.：Oxymetazoline adds to the effectiveness of fluticasone furoate in the treatment of perennial allergic rhinitis. J Allergy Clin Immunol 2011；**127**：927-934.

3）Liu W, et al.：Combination of mometasone furoate and oxymetazoline for the treatment of adenoid hypertrophy concomitant with allergic rhinitis：a randomized controlled trial. Sci Rep 2017；**7**：40425.

Clinical Question 3

抗ヒスタミン薬はアレルギー性鼻炎のくしゃみ・鼻漏・鼻閉の症状に有効か。

Answer(推奨)

くしゃみや鼻漏を抑える効果があるが，鼻閉の症状にも有効な第2世代抗ヒスタミン薬が存在するため，くしゃみ・鼻漏・鼻閉の症状に弱く推奨する。

［投票合意率 100％（13/13）］

推奨の強さ：弱い

エビデンスの確実性：B

【エビデンスの要約】

第2世代抗ヒスタミン薬は，くしゃみや鼻漏を抑える効果を十分にもっているが，鼻閉も抑えることが示されている。本邦の多施設で実施された無作為化プラセボ対照二重盲検試験において，12～64歳の成人スギ花粉症患者で適格性確認後，900症例の患者はプラセボ，実薬10 mg，20 mgに無作為に割り当てられ1日1回，2週間経口投与されベースラインから治療2週目までのスコア変化量を観察すると，実薬群ではプラセボ群に比べ，くしゃみ，鼻漏，鼻閉，鼻のかゆみ，眼のかゆみ，涙目においてそれぞれ有意に改善している[1]。その他，くしゃみ，鼻漏，鼻閉の症状に有効な第2世代抗ヒスタミン薬の存在を証明する無作為化プラセボ対照二重盲検試験[2]やメタ解析[3]が存在する。

抗ヒスタミン薬と他の中枢神経抑制薬を同時に内服，アルコールを飲酒すると，中枢抑制作用が強くなることがある。高齢者では，この増強作用が出やすい傾向にあり注意が必要である。抗真菌薬など，同時に服用すると，肝臓の同じ酵素で代謝されるために，相対的に血液中の濃度が高くなり，副作用が出る可能性もある。車の運転については，各薬剤の添付文書により眠気に関する注意喚起の記載が異なっている。第2世代と称される抗ヒスタミン薬においても，脳内H_1受容体占拠率や鎮静作用に関する比例障害比率の検討から，非鎮静性のものからやや鎮静性のものまであり[4]，また患者の薬剤代謝における個人差も考慮に入れて，各薬剤の添付文書を参照しながら指導すべきである。

参考文献

1）Okubo K, et al.：Efficacy and safety of rupatadine in Japanese patients with seasonal allergic rhinitis：a double-blind, randomized, multicenter, placebo-controlled clinical trial. Allergol Int　2019：**68**：207-215.

2）Yamamoto H, et al.：Efficacy of oral olopatadine hydrochloride for the treatment of seasonal allergic rhinitis：a randomized, double-blind, placebo-controlled study. Allergy Asthma Proc 2010：**31**：296-303.

3）Hong D, et al.：Efficacy of different oral H_1 antihistamine treatments on allergic rhinitis：a systematic review and network meta-analysis of randomized controlled trials. Braz J Otorhinolaryngol　2023：**89**：101272.

4）Jáuregui I, et al.：Bilastine：a new antihistamine with an optimal benefit-to-risk ratio for safety during driving. Expert Opin Drug Saf　2016：**15**：89-98.

Clinical Question 4

抗ロイコトリエン薬，抗プロスタグランジンD_2（PGD$_2$）・トロンボキサンA_2（TXA$_2$）薬はアレルギー性鼻炎の鼻閉に有効か。

Answer（推奨）

　通年性アレルギー性鼻炎と花粉症において，抗ロイコトリエン薬，抗プロスタグランジンD_2（PGD$_2$）・トロンボキサンA_2（TXA$_2$）薬は，鼻閉の症状スコアを有意に改善するため，強く推奨する。

［投票合意率 100％（13/13）］

推奨の強さ：強い

エビデンスの確実性：A

【エビデンスの要約】

　通年性アレルギー性鼻炎および花粉症の鼻閉型または充全型に対しては抗ロイコトリエン薬あるいは抗プロスタグランジンD_2（PGD$_2$）・トロンボキサンA_2（TXA$_2$）薬が推奨される。

　アレルギー性鼻炎の鼻閉は鼻粘膜の容積血管平滑筋の弛緩と血漿漏出による間質浮腫によって生じる。その発現には，鼻粘膜に存在するマスト細胞や好酸球から遊離されるヒスタミンやロイコトリエン，PGD$_2$，TXA$_2$などの化学伝達物質の直接作用と中枢を介する副交感神経反射が関与するが，前者の作用の方が大きい。

　抗ロイコトリエン薬の通年性アレルギー性鼻炎の鼻閉に対する効果については，多施設二重盲検比較試験や長期投与試験が行われ，プランルカスト水和物がすべての鼻症状に対して抗ヒスタミン薬と同等の効果を有し，鼻閉の改善率は，抗ヒスタミン薬よりも有意に優れることが証明されている[1]。また，モンテルカストナトリウムは投与期間に応じて治療効果が増し，鼻閉を含むすべての鼻症状に有効なことが報告されている[2]。花粉症に対しても，プランルカスト水和物が鼻腔容積を有意に増加させ，モンテルカストナトリウムはプランルカスト水和物と同等の臨床効果がある[3]。花粉曝露室において，モンテルカストナトリウム投与群はプラセボ群に比べ鼻閉の症状スコアを有意に改善している[4]。

　抗PGD$_2$・TXA$_2$薬（ラマトロバン）に関しては，投与4週後に通年性アレルギー性鼻炎患者の鼻閉が有意に改善することが報告されている[5]。花粉症の鼻閉に対する有効性については，花粉曝露室でのプラセボ対照二重盲検比較試験によって客観的に実証されている[6]。

参考文献

1）奥田　稔ほか：プランルカストの通年性鼻アレルギーに対する臨床評価─塩酸エピナスチンを対照薬とした多施設共同二重盲検比較試験．耳鼻と臨床　1998；44：47-72.

2）大久保公裕ほか：システイニルロイコトリエン受容体1拮抗薬モンテルカストナトリウムの通年性アレルギー性鼻炎に対する12週間長期投与試験．臨床医薬　2007；23：879-888.

3）Okubo K, et al.：A double-blind non-inferiority clinical study of montelukast, a cysteinyl leukotriene receptor 1 antagonist, compared with pranlukast in patients with seasonal allergic rhinitis. Allergol Int 2008；**57**：383-390.

4) Hashiguchi K, et al：The assessment of the optimal duration of early intervention with montelukast in the treatment of Japanese cedar pollinosis symptoms induced in an artificial exposure chamber. J Drug Assess 2012；**1**：40-47.

5) 海野徳二ほか：通年性鼻アレルギーに対するラマトロバン（BAY u 3405)の臨床試験―鼻閉に対する効果の検討―. 臨床医薬 1996；**12**：2593-2611.

6) 伊藤加奈子ほか：花粉曝露実験室を用いたラマトロバンの薬効評価. 耳鼻免疫アレルギー 2007；**25**：110-111.

Clinical Question 5

漢方薬はアレルギー性鼻炎に有効か。

Answer（推奨）

　小青竜湯は通年性鼻アレルギー患者のくしゃみ発作，鼻汁，鼻閉を有意に改善する効果があり，弱く推奨する。

［投票合意率 100％（13/13）］

推奨の強さ：弱い

エビデンスの確実性：B

【エビデンスの要約】

　全国61施設の耳鼻咽喉科を受診した通年性鼻アレルギー患者220名を対象にした小青竜湯の二重盲検ランダム化比較試験では，全般改善度，くしゃみ発作，鼻汁，鼻閉スコアにおいて実薬群が有意に優れていた[1]。小青竜湯の漢方的使用目標は，泡沫水様性の痰，水様性鼻汁，くしゃみなどを伴う場合であり，アレルギー性鼻炎の症状と合致する。一方で，漢方薬処方の場合には対象患者の「証」を判断した上で，それに沿った処方が勧められている。麻黄は一般に中間証から実証の場合に用いられ，虚証の場合は麻黄の副作用である動悸や胃腸症状が現れやすいため，苓甘姜味辛夏仁湯という麻黄を含まない漢方薬が処方される。また基本的には麻黄含有薬は速効性があり，特に鼻閉に対する効果が強い。そして本来長期連用する薬ではない。

　漢方治療エビデンスレポート2016が日本東洋医学会のWebサイトに掲載されている。その中の「10. 呼吸器系疾患」の中に小青竜湯を中心にしたアレルギー性鼻炎に対する比較試験の論文の概要が述べられている。その中で，森らの花粉症患者に対する小青竜湯と他の漢方薬（苓甘姜味辛夏仁湯，越婢加朮湯，大青竜湯，桂麻各半湯，五虎湯，麻黄附子細辛湯）の準ランダム化比較試験の結果がまとめられている。症状別には小青竜湯と大青竜湯に効果の差はないが，全般改善度は大青竜湯が小青竜湯に比べ有意に高い改善度を示した[2]。

　漢方薬だけでの治療も考えることはできるが，麻黄を中心とする漢方薬は鼻噴霧用ステロイド薬などを中心とする基本的な治療におけるレスキュー薬としての役割を担うとするのが現状の通念である。

参考文献
1）馬場駿吉ほか：小青竜湯の通年性鼻アレルギーに対する効果—二重盲検比較試験—. 耳鼻臨床　1995；**88**：389-405.
2）森　壽生ほか：春季アレルギー性鼻炎（花粉症）に対する小青竜湯と大青竜湯（桂枝湯合麻杏甘石湯）の効果—両剤の効果の比較検討—. Ther Res　1998；**19**：3299-3307.

Clinical Question 6

アレルギー性鼻炎に対する複数の治療薬の併用は有効か。

Answer(推奨)

　抗ヒスタミン薬と塩酸プソイドエフェドリンとの配合剤は，抗ヒスタミン薬単独よりスギ花粉症に対する鼻閉改善効果において有効であり，併用を弱く推奨する。

[投票合意率 100％(13/13)]

推奨の強さ：弱い

エビデンスの確実性：B

【エビデンスの要約】

　当ガイドラインでは中等症以上では，1〜2種の経口薬と局所用薬などの薬物併用療法を勧めている。経口薬同士の併用に関しては抗ヒスタミン薬と抗ロイコトリエン薬が一般的だが，多くの論文で評価されている。単剤より併用の方がよいという論文が併用効果なしの論文より多く報告されている。特に鼻閉に関しては，抗ヒスタミン薬に抗ロイコトリエン薬をベースとした併用がよいと評価されている。スギ花粉症患者に抗ロイコトリエン薬の初期投与を行い，花粉飛散ピーク時に症状が強い症例に抗ヒスタミン薬とプラセボを併用投与する臨床試験では，実薬群ではプラセボ群に比較して，鼻汁[1]，くしゃみ[1]，咽頭喉頭の症状スコア[2]が有意に改善した。

　抗ヒスタミン薬と抗ロイコトリエン薬の経口薬併用の効果は，メタ解析では鼻噴霧用ステロイド薬の鼻症状への効果と同等と評価されている[3]。鼻閉では鼻噴霧用ステロイド薬単剤が有意に効果を示したとされるが，評価されている論文数は少ない。スギ花粉飛散期間中の二重盲検無作為化プラセボ対照試験で，鼻噴霧用抗ヒスタミン薬による鼻噴霧用ステロイド薬の併用効果，総鼻症状スコアの有意な低下が観察されている[4]。また抗ヒスタミン薬と塩酸プソイドエフェドリンとの配合剤は，抗ヒスタミン薬単独よりスギ花粉症に対する鼻閉改善効果において優る[5]。本邦におけるアレルギー性鼻炎・花粉症治療薬として，より一般的な併用に関しては経口抗ヒスタミン薬と鼻噴霧用ステロイド薬がある。この併用では経口抗ヒスタミン薬単独より鼻症状への効果はあるが，鼻噴霧用ステロイド薬単独とは有意差が認められないことがメタ解析でも示されている[6]。

参考文献

1) Yamamoto H, et al.：Efficacy of prophylactic treatment with montelukast and montelukast plus add-on loratadine for seasonal allergic rhinitis. Allergy Asthma Proc　2012；**33**：17-22.
2) Imoto Y, et al.：Combination therapy with montelukast and loratadine alleviates pharyngolaryngeal symptoms related to seasonal allergic rhinitis. J Allergy Clin Immunol Pract　2019；**7**：1068-1070.
3) Rodrigo GJ, et al.：The role of anti-leukotriene therapy in seasonal allergic rhinitis：a systematic review of randomized trials. Ann Allergy Asthma Immunol　2006；**96**：779-786.
4) Haruna T, et al.：The add-on effect of an intranasal antihistamine with an intranasal corticosteroid in Japanese cedar pollinosis. Auris Nasus Larynx　2023；**50**：81-86.

5）大久保公裕：季節性アレルギー性鼻炎に対するフェキソフェナジン塩酸塩と塩酸プソイドエフェドリン配合剤の有効性及び安全性の検討：第Ⅱ/第Ⅲ相，ランダム化，二重盲検，並行群間比較試験．アレルギー・免疫　2012；**19**：1770-1782.

6）Yanez A, et al.：Intranasal corticosteroids versus topical H_1 receptor antagonists for the treatment of allergic rhinitis：a systematic review with meta-analysis. Ann Allergy Asthma Immunol　2002；**89**：479-484.

Clinical Question 7

スギ花粉症に対して花粉飛散前からの治療は有効か。

Answer（推奨）

　鼻噴霧用ステロイド薬の初期療法は，シーズン中の平均鼻症状スコアを有意に改善し，費用対効果の面で優れており，弱く推奨する。

［投票合意率 100％（13/13）］

推奨の強さ：弱い

エビデンスの確実性：B

【エビデンスの要約】

　第 2 世代抗ヒスタミン薬，抗ロイコトリエン薬，鼻噴霧用ステロイド薬による初期療法では，症状が少しでも出た場合，花粉飛散前でもすぐに内服すべきである。しかし症状がない場合，花粉飛散開始時から初期療法を開始すれば，症状発現は抑制できる。

　鼻噴霧用ステロイド薬を用いたスギ花粉症に対するランダム化プラセボ対照二重盲検試験では，初期療法の効果が示されている。4 週間の初期療法群では，シーズン 3 カ月の平均症状スコアが花粉飛散開始後投与群より有意に低く[1]，1 週間の初期療法群は費用対効果の面で優れていた[2]。

　3 年間全国多施設共同研究で第 2 世代抗ヒスタミン薬による初期療法のオープン試験を行ったところ，初期療法群で有意に症状を抑えていた[3]。一方で，花粉オフシーズンに曝露室を利用した臨床研究では，花粉飛散後すぐに第 2 世代抗ヒスタミン薬を内服すればプラセボよりも有意に症状を抑え，1 週間前から継続して初期療法を行った群とは有意差を認めなかった[4]。抗ロイコトリエン薬に関しても，曝露室を利用した臨床研究では，プラセボ対照無作為二重盲検試験で検討したところ，花粉飛散開始からの内服によってプラセボと有意差を認めた[5]。Th2サイトカイン阻害薬，ケミカルメディエーター遊離抑制薬，抗PGD$_2$・TXA$_2$薬では，速効性の効果発現は多くの研究で認められていない。

　花粉飛散前から少量の花粉飛散で症状を発症する症例は 1〜2 割存在することから，花粉飛散ピーク時にどう症状を抑えるか，使用薬剤と個々の症例に応じて対応する必要がある。

参考文献

1 ）Higaki T.：Early interventional treatment with intranasal corticosteroids compared with postonset treatment in pollinosis. Ann Allergy Asthma Immunol　2012；109：458-464.

2 ）Haruna T, et al.：Determining an appropriate time to start prophylactic treatment with intranasal corticosteroids in Japanese cedar pollinosis. Med Sci（Basel）　2019；7：E11.

3 ）藤枝重治ほか：スギ花粉症における第 2 世代抗ヒスタミン薬の臨床効果：多施設，3 カ年による初期療法と発症後治療の検討．日鼻誌　2007；46：18-28.

4 ）Yonekura S, et al.：Randomized double-blind study of prophylactic treatment with an antihistamine for seasonal allergic rhinitis. Int Arch Allergy Immunol　2013；162：71-78.

5 ）Yonekura S, et al.：Beneficial effects of leukotriene receptor antagonists in the prevention of cedar pollinosis in a community setting. J Investig Allergol Clin Immunol　2009；19：195-203.

Clinical Question 8

アレルギー性鼻炎に対するアレルゲン免疫療法の効果は持続するか。

Answer（推奨）

　スギ花粉症に対するSLITを15カ月間投与後中止しても次の2～3シーズンは有意に症状が改善し、室内塵ダニ単独感作例に対するSLITを3～5年行うと7～8年間有効である。効果持続を期待するためにアレルゲン免疫療法を実施することを弱く推奨する。

［投票合意率 69.2％（9/13）］

推奨の強さ：弱い

エビデンスの強さ：B

【エビデンスの要約】

　室内塵ダニが原因の通年性アレルギー性鼻炎を対象とした，SCITおよびSLITのランダム化プラセボ対照二重盲検比較試験を基にしたメタアナリシスでは，症状スコアの有意な減少が認められている。本邦では，12～64歳までの室内塵ダニが原因の通年性アレルギー性鼻炎対象の舌下錠を用いた2つのSLITのランダム化プラセボ対照二重盲検比較試験（維持量300IR：実薬群315例，プラセボ群316例，および維持量10,000JAU：実薬群313例，プラセボ群319例）があり，いずれの検討においてもプラセボ群と比較して症状スコアの有意な減少を認めた。日本アレルギー性鼻炎標準QOL調査票（JRQLQ No.1）を用いた検討でも，プラセボ群と比較した有意なQOLの改善を認めた[1, 2]。本邦における5～64歳のスギ花粉症患者1,042名に対するSLITのランダム化プラセボ対照二重盲検比較試験では，プラセボ群と比較して鼻症状スコアの改善率は2,000JAU，5,000JAU，10,000JAU，それぞれ21％，32％，31％（p＜0.001）であった[3]。

　スギ花粉症に対する長期SLITランダム化プラセボ対照二重盲検臨床試験では，花粉症患者（1,042名，年齢5～64歳）をプラセボまたは実薬15カ月間，さらに18カ月間プラセボまたは実薬を投与されるように無作為化された。実薬15カ月間投与後中止しても，次の2～3シーズンは，実薬投与なしのプラセボ群に比べて，眼鼻総症状，薬物スコア，QOLスコアが有意に改善している[4]。

　室内塵ダニ単独感作例に対してSLITを，薬物対象治療群と15年間比較経過観察した非盲検試験では，SLIT 3年群では7年間，4年群と5年群では8年間症状の抑制が認められた。また，悪化してもスコアは治療前より軽度であり，SLIT再開で早期に症状は改善している[5]。

参考文献
1）Okubo K, et al.：Efficacy and safety of the SQ house dust mite sublingual immunotherapy tablet in Japanese adults and adolescents with house dust mite-induced allergic rhinitis. J Allergy Clin Immunol　2017；**139**：1840-1848.
2）Okamoto Y, et al.：House dust mite sublingual tablet is effective and safe in patients with allergic rhinitis. Allergy　2017；**72**：435-443.

3) Gotoh M, et al. : Long-term efficacy and dose-finding trial of Japanese cedar pollen sublingual immunotherapy tablet. J Allergy Clin Immunol Pract　2019 ; 7 : 1287-1297.
4) Yonekura S, et al. : Treatment duration-dependent efficacy of Japanese cedar pollen sublingual immunotherapy : evaluation of a phase II/III trial over three pollen dispersal seasons. Allergol Int　2019 ; 68 : 494-505.
5) Marogna M, et al. : Long-lasting effects of sublingual immunotherapy according to its duration : a 15-year prospective study. J Allergy Clin Immunol　2010 ; 126 : 969-975.

Clinical Question 9

小児アレルギー性鼻炎に対するSLITは有効か。

Answer(推奨)

　小児アレルギー性鼻炎に対するSLITのランダム化プラセボ対照二重盲検比較試験のメタアナリシスにおいても有効性が示されており，実施することを強く推奨する。

［投票合意率 100％(13/13)］

推奨の強さ：強い

エビデンスの強さ：A

【エビデンスの要約】

　本邦における新たな疫学調査では，5〜9歳のスギ花粉症の有病率は3割，通年性アレルギー性鼻炎2割となっている(第2章参照)。小児のアレルギー性鼻炎は罹患率の増加に伴い低年齢発症も増加し，アトピー性皮膚炎や気管支喘息を伴う場合が多い。アレルギー性鼻炎は寛解率が低いため，低年齢で発症すると重症化する傾向にある。乳幼児期にアレルギー性鼻炎の症状があると，学童期の気管支喘息や運動誘発性喘息を発症する可能性が高くなる[1,2]。

　小児では鼻閉，鼻汁，鼻のかゆみ，くしゃみが辛い症状で学業や睡眠などへの影響もある。管理の基本は抗原回避であり，原因抗原が鼻腔内に入らないようにすれば，症状の発現を抑えることができる。治療法としては薬物療法，アレルゲン免疫療法，手術療法が存在する。薬物療法において，小児アレルギー性鼻炎で重症の場合，炎症効果に優れた鼻噴霧用ステロイド薬を使用し，年齢に応じて小児に適応のある第2世代抗ヒスタミン薬や抗ロイコトリエン薬を併用する。くしゃみ・鼻漏型，アトピー性皮膚炎，蕁麻疹，慢性湿疹がある場合は，第2世代抗ヒスタミン薬，鼻閉型または充全型，気管支喘息を合併する場合には，抗ロイコトリエン薬を選択する。十分な効果が期待できない場合も多く，原因抗原が明確であればアレルゲン免疫療法(SLIT)を積極的に行う。点鼻用血管収縮薬は鼻閉に対する治療に有効で，回数や期間を限定させて使用可能であるが，2歳未満の乳幼児には禁忌である。第2世代抗ヒスタミン薬・血管収縮薬配合剤は，12歳以上で使用可能となる。アレルギー性結膜炎を合併する場合には，点眼用抗ヒスタミン薬を中心に用いるが，ステロイド点眼薬を使用する場合，10歳未満の小児では眼圧上昇に特に注意が必要である。保存的治療に抵抗性で鼻腔形態異常を伴う場合では，学童期以上で手術も選択肢の1つとなるが，手術療法を行ってもアレルゲン免疫療法は継続する方が望ましい。

　本邦では，5〜17歳，室内塵ダニが原因の中等度〜重度アレルギー性鼻炎(458名)に対するSLITの無作為化二重盲検プラセボ対照試験が行われ，実薬群ではプラセボ群に比べ，症状薬物スコアは有意に改善し，5〜11歳，12〜17歳と分類してもそれぞれ効果が証明された[3]。12〜64歳のアレルギー性鼻炎(946名)を対象としたSLITの無作為化二重盲検プラセボ対照試験でも，実薬群ではプラセボ群に比べ症状薬物スコア，鼻症状の各スコア，眼症

状の各スコアが有意に改善し，12～17歳，18～64歳と分類してもそれぞれ効果が認められた。薬剤による副反応の程度も，12～17歳，18～64歳とも同等であった。SLITの無作為化二重盲検プラセボ対照試験では，治療開始から12週目で有効性が示され[4]，血清特異的IgG$_4$と血清特異的IgEが増加し，免疫学的な変化が始まる12週と一致する。5～17歳のSLITでも，12週で薬物スコアが実薬群ではプラセボ群に比べ減少している[3]。海外の小児アレルギー性鼻炎に対するSLITのランダム化プラセボ対照二重盲検比較試験のメタアナリシスにおいても，実薬群はプラセボ群に比べ症状スコアと薬物スコアの有意な改善が認められている[5]。

参考文献

1）Savary KW, et al.：Infant rhinitis and watery eyes predict school-age exercise-induced wheeze, emergency department visits and respiratory-related hospitalizations. Ann Allergy Asthma Immunol 2018；**120**：278-284.

2）Yang KD, et al.：Prevalence of infant sneezing without colds and prediction of childhood allergy diseases in a prospective cohort study. Oncotarget 2017；**9**：7700-7709.

3）Masuyama K, et al.：Efficacy and safety of SQ house dust mite sublingual immunotherapy-tablet in Japanese children. Allergy 2018；**73**：2352-2363.

4）Okubo K, et al.：Efficacy and safety of the SQ house dust mite sublingual immunotherapy tablet in Japanese adults and adolescents with house dust mite-induced allergic rhinitis. J Allergy Clin Immunol 2017；**139**：1840-1848.

5）Feng B, et al.：Efficacy and safety of sublingual immunotherapy for allergic rhinitis in pediatric patients：a meta-analysis of randomized controlled trials. Am J Rhinol Allergy 2017；**31**：27-35.

Clinical Question 10

妊婦におけるアレルゲン免疫療法は安全か。

Answer（推奨）

SCIT，SLITとも妊娠中に導入することは禁忌だが，アレルゲン免疫療法の継続は妊娠中の継続に関しては安全性が示されており，弱く推奨する。

［投票合意率 100％（13/13）］

推奨の強さ：弱い

エビデンスの確実性：B

【エビデンスの要約】

妊婦および授乳婦の患者への薬物の投与は，胎児や乳児に与える影響を考えると慎重でなければならない。妊娠中のアレルギー性鼻炎患者に対しては，妊娠週数に応じて治療方法を検討する必要がある。妊娠中のアレルギー性鼻炎に対する治療で問題になるのは妊婦よりもむしろ胎児への影響である。器官形成期である妊娠初期（妊娠15週まで）の妊婦に対しては催奇形性を考慮して薬物療法は極力避けるべきである。鼻閉に対しては温熱療法，入浴，蒸しタオル，マスクなど薬物を使わない方法がある。薬物療法が十分にできないので，特に抗原の除去・回避を行わなければならない[1]。

妊娠5カ月以降から分娩までは，鼻症状が日常生活に影響する場合は薬物療法を検討する。この場合は，治療上の有益性が危険性を上回ると判断されたときにのみ，安全性の高い薬剤を使用する。薬剤投与による催奇形性はこの時期には起こらないが，ほとんどすべての薬剤は胎児にも移行すると考えて，これによる胎児の機能的発育に影響を与える可能性（胎児毒性）に配慮すべきである。局所用薬は血中への移行が少ないため，妊婦や授乳婦に治療を行う場合には鼻噴霧用ケミカルメディエーター遊離抑制薬，鼻噴霧用抗ヒスタミン薬，鼻噴霧用ステロイド薬などの局所用薬を少量用いる。点鼻用血管収縮薬の局所投与も最少量にとどめる。妊婦における薬剤については，オーストラリア医薬品評価委員会（ADEC）先天性異常部会によるオーストラリア基準[2]に照らし合わせて，また授乳婦における薬剤についてはMedication and Mothers' Milk 2021の評価基準[3]に基づいて選択する必要がある[4]。

アレルゲン免疫療法に関してはSCIT，SLITとも妊娠中の継続に関しては安全性が示されている[5]。アレルゲン免疫療法の継続の調査では，早産，高血圧/タンパク尿，先天性奇形，母体または胎児の合併症に有意な差は認めていない[6]。妊娠中のSLITの開始が安全である報告もあるが[7]，妊婦にアレルゲン免疫療法を開始する際の安全性は確立されていない。妊娠中の症例に，アレルギー性鼻炎に対する手術療法も避けるべきである。

参考文献

1）村島温子：アレルギー性疾患と妊娠．アレルギー　2012：61：181-183.
2）オーストラリア医薬品評価委員会：妊娠中の投薬とそのリスク．第4次改訂版（雨森良彦監

　　　修，医薬品・治療研究会編訳），医薬品・治療研究会，東京，2001.

3 ）Medications and Mothers' Milk 2021 評価基準．今日の治療薬2022，南江堂，東京，2022.

4 ）和田誠司ほか：アレルギー性鼻炎．産婦人科の実際　2011；**60**：1580-1586.

5 ）Pitsios C, et al.：Clinical contraindications to allergen immunotherapy：an EAACI position paper. Allergy　2015；**70**：897-909.

6 ）Oykhman P, et al.：Allergen immunotherapy in pregnancy. Allergy Asthma Clin Immunol 2015；**11**：31.

7 ）Shaikh WA, et al.：A prospective study on the safety of sublingual immunotherapy in pregnancy. Allergy　2012；**67**：741-743.

Clinical Question 11

職業性アレルギー性鼻炎の診断に血清特異的IgE検査は有用か。

Answer(推奨)

　低分子抗原に対する免疫学的検査は，陽性率が低く有用ではない。実施しないことを弱く推奨する。

［投票合意率 100％（13/13）］

推奨の強さ：弱い

エビデンスの強さ：C

【エビデンスの要約】

　職業性アレルギー性鼻炎は職業性鼻炎（occupational rhinitis）の１つであり，職場に存在する動植物，化学物質，薬剤，金属などの物質がアレルゲンとして働く。職業性アレルギー性鼻炎を来しやすい職業とその原因抗原がある。例えば，毛皮取扱業（獣毛），パン製造業（小麦粉・ライ麦粉），麺製造業（穀物粉），ブリーダーなど動物取扱業（動物皮屑），木材加工業（材木）などで鼻炎発症の頻度が高く，これらの職業に従事する患者には注意が必要である[1]。職業性アレルギー性鼻炎の診断は，まず疑うことである。すなわち問診が重要である。職業性鼻炎では，職場では症状が発症あるいは増悪するが，帰宅後あるいは休業日などで職場を離れると症状は改善するという特徴がある。鼻炎症状を訴える患者に，「職場で発症したり症状が悪くなるか」を尋ね，そうである患者にはさらに，「職場を離れると症状はよくなるか」を問診することが重要である。初回曝露（就業開始時）から発病に至る感作期間の有無に関する問診は，職業性鼻炎がアレルギー性か非アレルギー性かの鑑別に有用である。免疫学的な機序を介さない非アレルギー性鼻炎の場合は，曝露量によっては職業由来物質の初回曝露でも発症し得る[2,3]。

　職業性アレルギー性鼻炎の診断は，原則的には通常のアレルギー性鼻炎に対する診断と同様である。すなわち，前述の問診をベースに免疫学的検査を行い，診断の確定には鼻誘発試験を行う[2,3]。一般的には，皮膚テストや血液検査などの免疫学的検査にて血清特異的IgEの存在，すなわち感作を証明する。動植物などの高分子抗原では，これらの免疫学的検査は陽性になるので有用である。一方，金属や染料などの低分子抗原はハプテンとして作用するため，単独では抗原性がない。したがってイソシアネートなど一部を除いて免疫学的検査の陽性率は低く，血清特異的IgE検査は有用ではない[2,3]。

参考文献

１）春名威範ほか：Baker's rhinitis症例における小麦粉抗原に対するIgEおよび末梢血単核細胞応答の解析の試み．アレルギー　2019；**68**：35-42.

２）「職業性アレルギー疾患ガイドライン2016」作成委員会：職業性アレルギー疾患ガイドライン2016．協和企画，東京，2016.

３）EAACI task force on occupational rhinitis：occupational rhinitis. Allergy　2008；**63**：969-980.

Clinical Question 12

アレルギー性鼻炎の症状改善にプロバイオティクスは有効か。

Answer(推奨)

アレルギー性鼻炎症状を改善する有効なプロバイオティクスが存在する。実施することを弱く推奨するが，現状では標準治療を優先する。

[投票合意率 100％(13/13)]

推奨の強さ：弱い

エビデンスの確実性：B

【エビデンスの要約】

プロバイオティクスとは，アンチバイオティクス(抗生物質)に対して提案され，腸内フローラのバランスを改善することによって，宿主の健康に好影響を与える生きた微生物と定義され，乳酸菌やビフィズス菌などが含まれる。アレルギー性鼻炎に対するプロバイオティクスの効果を調べるための無作為二重盲検プラセボ対照試験が行われている。プロバイオティクス，株の組み合わせが，アレルギー症状を改善する可能性がある。

Bifidobacterium longum BB536はスギ花粉症の症状緩和に効果的である。BB536粉末を用いた無作為二重盲検プラセボ対照クロスオーバー試験では，1日2回4週間投与後，スギ花粉曝露室で4時間曝露し症状を検討すると，BB536の摂取は，治療中の眼症状スコア，生活支障スコア，薬物スコアを有意に減少している[1]。

季節性アレルギー性鼻炎患者173名に対して，*Lactobacillus gasseri* KS-13, *Bifidobacterium bifidum* G9-1, *B. longum* MM-2の8週間実薬群(2カプセル/日，15億コロニー形成単位/カプセル)とプラセボ群(ゼラチン)を比較した無作為二重盲検プラセボ対照試験では，実薬群ではベースラインから花粉ピークまでの鼻症状・眼症状QOLスコアが改善し(-0.68 ± 0.13)，アレルギー総症状スコア($p = 0.0002$)，鼻症状スコア($p < 0.0001$)，QOLスコアは有意に改善している[2]。

Lactobacillus plantarum YIT 0132(LP0132)で発酵された柑橘類ジュースを用いた通年性アレルギー性鼻炎に対する無作為二重盲検プラセボ対照試験では，LP0132発酵ジュース(n＝17)と未発酵の柑橘類ジュース(プラセボ；n＝16)を1日1回，8週間摂取し検討している。プラセボ群と比較して，LP0132群は介入期間中に鼻症状総スコアおよび鼻閉スコアの有意な改善を示し，LP0132群では，Th2細胞/Th1細胞，血清総IgE，ECPの有意な減衰，Th1細胞/Th2細胞のベースラインからの有意な増加が観察されている[3]。

Lactobacillus helveticus SBT2171(LH2171)を含む発酵乳を用いた無作為二重盲検プラセボ対照試験では，軽度から中等度の通年性アレルギー性鼻炎を対象にしている。200人の被験者を2グループに分け，LH2171を含む発酵乳またはプラセボ発酵乳を1日1回16週間摂取し検討すると，重症度は実薬群(31.8％)でプラセボ群(6.8％)に比べ有意に改善し($p < 0.01$)，日記による調査では，プラセボ群よりも鼻閉に有効であり，鼻汁好酸球数も有意に

低い結果であった[4]。効果は限定的であるが，アレルギー性鼻炎症状を改善するプロバイオティクスが存在する。

参考文献

1 ）Xiao JZ, et al.：Clinical efficacy of probiotic *Bifidobacterium longum* for the treatment of symptoms of Japanese cedar pollen allergy in subjects evaluated in an environmental exposure unit. Allergol Int 2007：**56**：67-75.

2 ）Dennis-Wall JC, et al.：Probiotics（*Lactobacillus gasseri* KS-13, *Bifidobacterium bifidum* G9-1, and *Bifidobacterium longum* MM-2）improve rhinoconjunctivitis-specific quality of life in individuals with seasonal allergies：a double-blind, placebo-controlled, randomized trial. Am J Clin Nutr 2017：**105**：758-767.

3 ）Harima-Mizusawa N, et al.：Citrus juice fermented with *Lactobacillus plantarum* YIT 0132 alleviates symptoms of perennial allergic rhinitis in a double-blind, placebo-controlled trial. Benef Microbes 2016：**7**：649-658.

4 ）Yamashita M, et al.：*Lactobacillus helveticus* SBT2171 alleviates perennial allergic rhinitis in Japanese adults by suppressing eosinophils：a randomized, double-blind, placebo-controlled study. Nutrients 2020：**12**：3620.

第 6 章

その他

Specific considerations

第6章 その他
Specific considerations

I・合併症（Complication）

1．慢性副鼻腔炎（Chronic sinusitis）

　慢性副鼻腔炎は，上顎洞や篩骨洞など副鼻腔の炎症が12週以上続く状態を示す。細菌性や真菌性あるいは歯性など，様々な病態を包含する名称である。慢性副鼻腔炎に対して，アレルギー性鼻炎はその病態の遷延化に関与する。その中でも，アレルギー性副鼻腔炎，アレルギー性真菌性鼻副鼻腔炎，好酸球性副鼻腔炎はアレルギー性鼻炎と関連する。

　最近では鼻中隔上部，上鼻甲介，中鼻甲介を中心にポリープ様変化を呈し，副鼻腔側壁は正常であるcentral compartment atopic disease（CCAD）という疾患概念が提唱されている。本疾患は吸入アレルゲンへの感作を高率に合併することが特徴である。

1）アレルギー性副鼻腔炎（Allergic sinusitis）

　アレルギー性鼻炎患者では，感染の合併を疑わせる所見がないにもかかわらず，画像検査で副鼻腔に陰影を認めることがあり，アレルギー性副鼻腔炎と呼ばれている。多くは軽症で，水様性あるいは粘液性鼻漏であり，鼻閉の鼻症状は，アレルギー性鼻炎による鼻腔内炎症による粘膜腫脹や分泌物過多による。本疾患の副鼻腔粘膜病変は，副鼻腔に侵入沈着した抗原に対するアレルギー反応によって生じると考えられているが，それを直接的に証明できない。その他，固有鼻腔における高度のⅠ型アレルギー反応によって自然口の閉鎖が生じることや，固有鼻腔のⅠ型アレルギー性炎症の副鼻腔への波及なども，その発症機序として推測されている。

　膿性・粘性鼻漏を伴う感染性副鼻腔炎とアレルギー性鼻炎の合併例は，理論的にはアレルギー性副鼻腔炎と区別するが，実際の症例では鑑別が困難なことが多い。この合併症は，特に小児に多い。鼻汁中の好中球の占める割合が感染とアレルギーの1つの鑑別法になる。鼻汁中に好酸球がみられても，好中球より多くなければアレルギーと即断できない。

2）アレルギー性真菌性鼻副鼻腔炎（Allergic fungal rhinosinusitis）

　アレルギーが関係した難治性の副鼻腔炎に，アレルギー性真菌性鼻副鼻腔炎がある。本疾患は，真菌に対するⅠ/Ⅲ型アレルギー反応により生じるとされ，局所好酸球浸潤を特徴とした副鼻腔炎で，易再発性副鼻腔炎の1つとして認識されている。好酸球性鼻茸を合併することが多く，好酸球性副鼻腔炎に病態が似ているが，片側例を含め病変に左右差を生じることが多い，真菌に対する感作陽性，好酸球に富むニカワ状の粘稠性分泌物の貯留を認め真菌が検出される，などの特徴がある。真菌塊を形成する寄生型真菌症（真菌球症）や，感染病原体として真菌が粘膜に浸潤する浸潤型真菌症とは病態が異なる（**表34**）。

表34　副鼻腔真菌症の分類

分類	免疫状態	アトピーの有無	真菌の作用	真菌の組織内浸潤	生命予後
急性浸潤型	不全	非アトピー型	病原体	あり	不良
慢性浸潤型	不全	非アトピー型	病原体	あり	不良
肉芽腫性浸潤型	正常（Th17 亢進？）	非アトピー型	病原体	あり	比較的良好（再発は高率）
寄生型（真菌球症）	正常	非アトピー型	寄生体	なし	良好
アレルギー性真菌性鼻副鼻腔炎	正常	アトピー型	アレルゲン	なし	良好（再発は高率）

（鼻アレルギー診療ガイドライン2024）

表35　好酸球性副鼻腔炎診断基準（JESREC Study）

項目	スコア
病側：両側	3点
鼻茸あり	2点
篩骨洞陰影/上顎洞陰影　≧1	2点
血中好酸球（%）	
2＜　≦5%	4点
5＜　≦10%	8点
10%＜	10点

スコアの合計（JESRECスコア）：11点以上を好酸球性副鼻腔炎とする。
確定診断は，400倍視野組織中好酸球数：70個以上
（鼻アレルギー診療ガイドライン2024）

3）好酸球性副鼻腔炎（Eosinophilic chronic rhinosinusitis）

　最近，鼻茸・鼻副鼻腔粘膜に好酸球浸潤が著しく，易再発性で難治性である慢性副鼻腔炎，好酸球性副鼻腔炎も増加してきた。本疾患は成人発症で，アスピリン喘息を含む気管支喘息合併例に多く認められる。両側の篩骨洞を中心に多発性浮腫状鼻茸を認め，中鼻甲介周辺すなわち中鼻道および嗅裂の病変が強い。そのため早期より嗅覚障害を認める。鼻腔内所見で好酸球に富むニカワ状の粘稠性分泌物の貯留を認める。好酸球性副鼻腔炎の診断は，表35のJESRECスコアによって行う。11点以上であり，鼻茸の生検組織もしくは手術標本を400倍視野で顕微鏡検査を行い，3視野平均で70個以上の好酸球が存在すれば確定とする。好酸球性副鼻腔炎は，末梢血好酸球比率，CT所見，合併症（気管支喘息，アスピリン不耐症，NSAIDsアレルギー）で重症度を分類できる（図14）。中等症以上の好酸球性副鼻腔炎の確定診断例は，指定難病の対象となる。

参考文献

1）鮫島靖浩ほか：アレルギー性副鼻腔炎．気道アレルギー '97，pp.109-115，メディカルレビュー社，東京，1997.

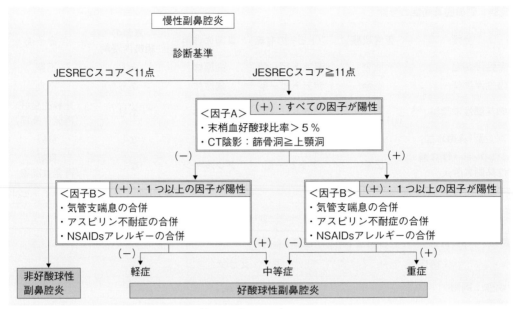

図14　好酸球性副鼻腔炎の重症度分類（参考文献6より）

(Tokunaga T, et al.：Allergy　2015；**70**：995-1003.)

2）洲崎春海：マクロライド系抗菌薬少量長期投与，3）耳鼻咽喉科～慢性副鼻腔炎．感染と抗菌薬 1999；**2**：255-261.

3）岡野光博ほか：副鼻腔真菌症．耳喉頭頸　2017；**89**：975-983.

4）春名眞一ほか：好酸球性副鼻腔炎．耳展　2001；**44**：195-201.

5）Marcus S, et al.：Central compartment atopic disease：prevalence of allergy and asthma compared with other subtypes of chronic rhinosinusitis with nasal polyps. Int Forum Allergy Rhinol　2020；**10**：183-190.

6）Tokunaga T, et al.：Novel scoring system and algorithm for classifying chronic rhinosinusitis：the JESREC Study. Allergy　2015；**70**：995-1003.

7）Fujieda S, et al.：Eosinophilic rhinosinusitis. Allergol Int　2019；**68**：403-412.

2．気管支喘息（Bronchial asthma）

　アレルギー性鼻炎とアレルギー性気管支喘息（アトピー型気管支喘息）は，同一患者においてしばしば合併することが疫学研究で示されている。この合併は小児に多い。アレルギー性鼻炎は気管支喘息発症の危険因子であり，アレルギー性鼻炎と気管支喘息は相互に影響を及ぼし合い，アレルギー性鼻炎の増悪は気管支喘息の増悪につながる。アレルギー性鼻炎の病状を適切に治療して管理することでも，気管支喘息をかなり改善できる。成人型気管支喘息は，非アレルギー性（非アトピー型）のものが多い。

　アレルギー性鼻炎と気管支喘息の治療の際には，治療薬が重複して副作用を起こすことがある。また，第1世代の抗ヒスタミン薬は気管支喘息を悪化させることがあるので注意が必要である。アレルギー性鼻炎患者を診療する際には，気管支喘息合併の有無を確認することは必須

であり，もしも合併があれば，内科，小児科と協力して治療することを考えなければならない。マクロライド系抗菌薬やニューキノロン系抗菌薬はキサンチン誘導体（気管支拡張薬）の血中濃度を上昇させることがあるので注意を要する。

　花粉抗原はその粒子径が大きく，吸入してもほとんどが鼻腔に沈着し下気道へは到達しないため，スギ花粉の吸入による気管支喘息の発症はないと考えられていた。しかし，少数ながら，スギ花粉の表面に付着しているオービクルが直接下気道へ到達して気管支喘息を誘発するスギ花粉気管支喘息の存在が知られている。スギ花粉気管支喘息はまれであっても，成人のみならず小児においても，多くの気管支喘息患者がスギ花粉飛散期に症状が悪化することがある。

　スギ花粉症の病態が気管支喘息に影響する機序については，鼻閉により鼻呼吸から口呼吸に変わるため，吸気の清浄・加温・加湿の調整が障害されること，鼻分泌物が下気道へ流入して咳や気管支喘息発作が起こることなどが推測されている。また，鼻腔のアレルギー性炎症によって放出されたケミカルメディエーターやIL-5などのサイトカインが好酸球の産生を促し，さらに下気道への好酸球浸潤が亢進して気管支喘息を増悪させる機序も推測されている。

参考文献
1）前田裕二：スギと呼吸器症状．アレルギー・免疫　1999；**6**：30．
2）洲崎春海：アレルギー性鼻炎と成人気管支喘息．Topics in Atopy　2007；**3**：9-14．
3）洲崎春海：花粉症は気管支にどのような影響を及ぼすか？　JOHNS　2012：**28**：30-32．

3．アレルギー性結膜炎（Allergic conjunctivitis）

　アレルギー性結膜炎とは，I型アレルギーが関与する結膜の炎症性疾患で，何らかの自他覚症状を伴うものと定義されている。アレルギー性結膜疾患には，充血性のアレルギー性結膜炎と増殖性の結膜炎として春季カタルがある。また，アトピー性皮膚炎に合併するアトピー性角・結膜炎もアトピー性皮膚炎の増加とともに増加した。

　アレルギー性鼻炎に合併するのは，主に充血性のアレルギー性結膜炎で，特に花粉症では合併率が高く，ほとんどの花粉症患者は眼のかゆみ，流涙，充血，眼脂などを合併する。症状が強いと眼瞼腫脹も起こり，小児では手で眼をこすり眼瞼にくまができる。眼結膜充血，眼脂の高度な患者は比較的少ない。感染性結膜炎，眼精疲労，コンタクトレンズの刺激性充血と鑑別を要する。眼脂には好酸球増多がアレルギーではみられるが，結膜上皮層が立方上皮のためか，アレルギー性鼻炎ほど好酸球増多の証明が容易でなく，結膜をスクラッチして初めて証明できることが多い。眼結膜嚢には花粉が貯留していることがしばしばある。

　花粉症ではなるべくコンタクトレンズをやめ，刺激を避け，花粉の侵入を防ぐためメガネを使うのがよい。アレルギー性結膜炎の治療の第一選択薬として治療に用いられている抗アレルギー点眼薬は，薬剤そのものがすでに内服薬として処方されているものである。そのうえ，点眼薬の場合は内服薬に比べて全身に対する副作用が少ない。一方，アレルギー性結膜炎の重症例に用いられるステロイド薬は点眼の場合，眼圧上昇から緑内障へと副作用を起こすことがあり，特に小児では頻度が高い。重症度を見極め，ステロイドの種類，点眼回数を決め，漫然と長期に高濃度のステロイド点眼薬を継続して使用することを避けなければならない。花粉除去

のため人工涙液による眼洗浄も有効である。

参考文献
1）熊谷直樹ほか：スギ花粉とスギ花粉症をめぐる最近の話題．8．眼科からみたスギ花粉症．アレルギーの臨床　1996；**16**：191-194.
2）中川やよい：眼とアレルギーⅧ．1．アレルギー性結膜疾患における結膜分泌物好酸球陽性率．アレルギーの臨床　1996；**16**：968-971.
3）アレルギー結膜疾患診断ガイドライン編集委員会：アレルギー結膜疾患診断ガイドライン．日眼会誌　2006；**110**：99-140.
4）高村悦子：花粉症患者を眼科に紹介するタイミング．花粉症と周辺アレルギー疾患．pp.118-126，診断と治療社，東京，2007.

Ⅱ・妊婦および授乳婦（Pregnant women and Lactating mothers）

　妊娠中はうっ血性鼻炎の傾向となり，症状は悪化することが多い。また妊娠，出産後に発症する症例もある。妊婦および授乳婦の患者への薬物の投与は，胎児や乳児に与える影響を考えると慎重でなければならない。一般に催奇形性が問題となるのは妊娠2〜4カ月である。この時期は胎児の器官が形成される期間である。およそ妊娠2カ月の時期は胎児の中枢神経，心臓，消化器，四肢などの重要臓器の発生・分化が起こり，特に重要な時期であるので原則として薬剤の投与は避けるべきである。鼻閉には，専用の器具を用いて43℃に加熱した蒸気を鼻より吸入するサーモライザー局所温熱療法，入浴，蒸しタオル，マスクなど薬物を使わない方法がある。薬物療法を十分にできない妊婦や授乳婦にとっては，特に抗原除去・回避を行わなければならない。

　妊娠5カ月を過ぎると，まず薬剤投与によって奇形のような形態的異常は起こらない。しかし，妊婦が内服した薬剤は胎盤を通って胎児に移行して胎児の機能的発育に影響を与える可能性（胎児毒性）がある。また授乳婦が内服した薬剤は母体血液から母乳中に移行する。したがって，これらの妊婦および授乳婦に薬剤投与する際は注意が必要であり，局所用薬を中心とすべきである。妊娠5カ月以降で薬物の投与が必要ならば，鼻噴霧用ケミカルメディエーター遊離抑制薬，鼻噴霧用抗ヒスタミン薬，鼻噴霧用ステロイド薬などの局所用薬を少量用いる。点鼻用血管収縮薬の局所投与も最少量にとどめる。

　妊婦における薬剤については，オーストラリア医薬品評価委員会（ADEC）先天性異常部会によるオーストラリア基準に照らし合わせて，また授乳婦における薬剤についてはMedications and Mothers' Milk 2021の評価基準に基づいて選択する必要がある（**表36**）。鼻噴霧用ケミカルメディエーター遊離抑制薬DSCGの注射による大量投与の妊娠動物実験で胎仔毒性が報告されているが，吸入では胎盤通過も証明されず，ヒト胎児への毒性の報告はない。また，ステロイド薬も大量投与による毒性はすでに知られているが，局所吸収性の低い鼻噴霧用ステロイド薬の吸入による胎児への毒性もヒトでは報告がない。鼻噴霧用ケミカルメディエーター遊離抑制薬の局所使用についても毒性，催奇形性の報告はない。

　妊婦への抗IgE抗体使用は，オーストラリア基準ではB1と評価されている。妊娠中に抗IgE

表36　妊婦・授乳婦へのアレルギー性鼻炎用薬剤投与のリスク（1）

一般名	商品名	妊婦 オーストラリア基準[1]	授乳婦 Mothers' Milk[4]
抗アレルギー薬（内服）			
d-クロルフェニラミンマレイン酸塩	ポララミン®	A	L3
dl-クロルフェニラミンマレイン酸塩	アレルギン®	A	L3
ジフェンヒドラミン塩酸塩	レスタミン®	A	L2
シプロヘプタジン塩酸塩水和物	ペリアクチン®	A	L3
クレマスチンフマル酸塩	タベジール®	A	L4
ロラタジン	クラリチン®	B1	L1
デスロラタジン	デザレックス®	B1	L2
ケトチフェンフマル酸塩	ザジテン®	B1	L3
オロパタジン塩酸塩	アレロック®	B1	
セチリジン塩酸塩	ジルテック®	B2	L2
レボセチリジン塩酸塩	ザイザル®	B2	L2
フェキソフェナジン塩酸塩	アレグラ®	B2	L2
アゼラスチン塩酸塩	アゼプチン®	B3	L3
エピナスチン塩酸塩	アレジオン®		L3
フェキソフェナジン塩酸塩/塩酸プソイドエフェドリン配合剤	ディレグラ®		L3
モンテルカストナトリウム	シングレア® キプレス®	B1	L4
鼻噴霧用薬			
ベクロメタゾンプロピオン酸エステル	リノコート®	B3	L2
フルチカゾンプロピオン酸エステル	フルナーゼ®	B3	L3
フルチカゾンフランカルボン酸エステル	アラミスト®	B3	L3
モメタゾンフランカルボン酸エステル水和物	ナゾネックス®	B3	L3
デキサメタゾンシペシル酸エステル	エリザス®		L3
クロモグリク酸ナトリウム		A	L2
レボカバスチン塩酸塩	リボスチン®		L3
生物学的製剤			
抗IgE抗体	ゾレア®	B1	L3

オーストラリア医薬品評価委員会の分類基準[1]	
カテゴリー	評価基準
A	多数の妊婦および妊娠可能年齢の女性に使用されてきた薬剤だが，それによって奇形の頻度や胎児に対する直接・間接の有害作用の頻度が増大するといういかなる根拠も観察されていない。
B1	妊婦および妊娠可能年齢の女性への使用経験はまだ限られているが，この薬剤による奇形やヒト胎児への直接・間接的有害作用の発生頻度増加は観察されていない。動物を用いた研究では，胎仔への障害の発生が増加したという根拠は示されていない。
B2	妊婦および妊娠可能年齢の女性への使用経験はまだ限られているが，この薬剤による奇形やヒト胎児への直接・間接的有害作用の発生頻度増加は観察されていない。動物を用いた研究は不十分または欠如しているが，入手し得るデータは胎仔への障害の発生が増加したという証拠は示されていない。
B3	妊婦および妊娠可能年齢の女性への使用経験はまだ限られているが，この薬剤による奇形やヒト胎児への直接・間接的有害作用の発生頻度増加は観察されていない。動物を用いた研究では，胎仔への障害の発生が増えるという証拠が得られている。しかし，このことがヒトに関してもつ意義ははっきりしていない。
C	その薬理効果によって，胎児や新生児に有害作用を引き起こし，または，有害作用を引き起こすことが疑われる薬剤だが，奇形を引き起こすことはない。これらの効果は可逆的なこともある。
D	ヒト胎児の奇形や不可逆的な障害頻度の発生を増す，または，増すと疑われる，またはその原因と推測される薬剤。これらの薬剤にはまた，有害な薬理作用があるかもしれない。
X	胎児に永久的な障害を引き起こすリスクの高い薬剤であり，妊娠中あるいは妊娠の可能性がある場合は使用すべきではない。

（鼻アレルギー診療ガイドライン2024）

表36　妊婦・授乳婦へのアレルギー性鼻炎用薬剤投与のリスク（2）

カテゴリー	評価基準
Medications and Mothers' Milk 2021[4]	
L1	適合：compatible 多くの授乳婦が使用するが，児への有害報告なし。対照試験でも児に対するリスクは示されず。乳児に害を与える可能性はほとんどない。または，経口摂取しても吸収されない。
L2	概ね適合：probably compatible 少数例の研究に限られるが，乳児への有害報告なし。リスクの可能性がある根拠はほとんどない。
L3	概ね適合：probably compatible 授乳婦の対照試験はないが，児に不都合な影響が出る可能性がある。または対照試験でごく軽微で危険性のない有害作用しか示されていない。潜在的な有益性が児の潜在的なリスクを凌駕する場合のみ投与（論文でのデータがない新薬は安全と考えられても自動的にL3）。
L4	悪影響を与える可能性あり：possibly hazardous 児や乳汁産生にリスクがあるという明らかな証拠があるが，授乳婦の有益性が児へのリスクを上回る場合は許容
L5	危険：hazardous 授乳婦の研究で児に重大で明らかなリスクがヒトでの使用経験を基に示されている。よって児に重大な障害を引き起こすリスクが高い。母乳育児の女性は禁忌。

（鼻アレルギー診療ガイドライン2024）

＜患者への説明文書の1例＞

　妊娠中や授乳中に薬を内服すると，胎児や乳児に影響が出ることがあります。一般に胎児の催奇形性が問題となるのは妊娠2〜4カ月の時期です。この期間は胎児の器官が形成される時期で，中枢神経，心臓，消化器，四肢などの重要臓器が発生し，分化していきますので，原則的に薬は内服しないことが重要です。この場合，薬を使わない治療が勧められます。薬を使わない治療には，43℃に加熱した蒸気を吸入するサーモライザー局所温熱療法，入浴，蒸しタオル，マスクの着用などがあります。薬の治療が十分にできないので抗原の除去・回避を行ってセルフケアしてください。

　妊娠5カ月を過ぎると，通常は奇形といった問題は起こらないとされていますが，内服した薬が胎盤を通って，胎児に届き発育に影響を与える可能性はあります。また授乳中に内服した薬は母体血液から母乳中に移行します。治療は薬を使用しない治療を中心に行いますが，どうしても薬が必要な場合は，局所用薬を少量使用します。しかし，症状がひどく局所用薬でコントロールができない場合は内服薬を使用することがあります。この場合は，治療上の有益性が危険性を上回ると判断されたときにのみ，安全性の高い薬を使用します。

　皮下免疫療法（SCIT）は，妊娠中に治療を開始することは禁忌です。またSCITは，妊娠中の投与量や濃度を増やすことはできませんが，維持療法は妊婦でも施行可能です。舌下免疫療法（SLIT）は，妊婦または妊娠している可能性のある女性に治療を開始することはできませんが，妊娠中の維持療法を行うことは可能です。妊娠中は，アレルギー性鼻炎に対する手術療法を行うことはできません。

抗体を使用した気管支喘息合併妊婦223例の前向き観察研究では，先天性奇形が発生した割合は8.1％であり，対照グループ（抗IgE抗体を使用していない気管支喘息合併妊婦1,124例）の8.9％と比較しても大差はなく，抗IgE抗体の使用が先天性奇形の発生リスクを増加させる確証は得られなかった。ただし，あくまで観察研究の結果であり，抗IgE抗体によるリスクの増加がないことが確立されたわけではないと結論付けている。

　皮下投与によるアレルゲン免疫療法は，頻度は少ないながらもアナフィラキシーを含めた全身副作用を生じる可能性があり，特に導入期（増量期）にはそのリスクは高まる。SCITでは，妊婦に治療を開始することは禁忌であり，また妊娠中はアレルゲン免疫療法の投与量や濃度を増やしてはならない。維持療法は妊婦でも施行可能である。SLITはアナフィラキシーを引き起こす可能性は極めて低い治療法とは考えられているが，妊娠または妊娠している可能性のある女性へ治療を開始することは禁忌である。維持療法の継続は可能である。

　妊娠中の症例に，アレルギー性鼻炎に対する手術療法を行うことはできない。

参考文献

1）オーストラリア医薬品評価委員会：妊娠中の投薬とそのリスク　第4次改訂版（雨森良彦監修，医薬品・治療研究会編訳），医薬品・治療研究会，東京，2001.
2）佐藤孝道ほか：妊婦と薬剤．産婦人科治療　2008；**96**：521-526.
3）米倉修二ほか：妊娠とアレルギー性鼻炎．アレルギー　2014；**63**：661-668.
4）Medications and Mothers' Milk 2021 評価基準．今日の治療薬2022，南江堂，東京，2022.
5）Namazy JA, et al.：Pregnancy outcomes in the omalizumab pregnancy registry and a disease-matched comparator cohort. J Allergy Clin Immunol 2020；**145**：528-536. e1.

Ⅲ・小　児（Child）

成人アレルギー性鼻炎に対比して，小児のアレルギー性鼻炎の特徴を挙げる。

1．臨床像

　疫学的調査の結果では，小児におけるアレルギー性鼻炎の発症は低年齢化傾向にある。小児アレルギー性鼻炎患者数は男児に多いが，青春期に至りほぼ同じになる。アレルギー性鼻炎は幼小児にもみられるが，しばしばアレルギー性皮膚炎（アトピー性皮膚炎）が先行，合併し，また高率に気管支喘息を合併する。アレルギー性皮膚炎，気管支喘息は小学校高学年で寛解の傾向がみられるが，アレルギー性鼻炎の寛解は比較的低率で遅い。血管運動性鼻炎，好酸球増多性鼻炎は少ない。滲出性中耳炎，副鼻腔炎，扁桃肥大を合併することも多い。

2．原因抗原

　室内塵ダニと花粉が圧倒的に多く，ときにペット，アルテルナリアアレルギーを合併する。最近は花粉症，特にスギ花粉症の増加が著しく，5歳以上ではダニアレルギーを超える有病率を示す。しかし，食物抗原によるアレルギー性鼻炎はまれである。

3．検査，診断

　アレルギー性鼻炎の診断に当たっては，成人と小児で大きく異なることはない。しかし，自らの訴えに乏しい小児では得られる情報が成人に比べて限られており，診断に難渋することもある。低年齢児の症状の評価は保護者に委ねられ，園や学校での日中の状態は把握しにくい。保護者と可能であれば患児本人に症状の種類・程度・出現時期・誘因，環境，他のアレルギー疾患や家族歴などについて詳細に問診を行う。

　アレルギー性鼻炎の典型的症状はくしゃみ，鼻閉，鼻漏であるが，保護者による評価ではくしゃみは少ない傾向にあり，鼻閉はいびきとして認識されることがある。また，鼻漏について保護者に問診する際は，低年齢児では鼻をかむかと聞くよりも，鼻すすりをするか，または鼻を拭くかと聞く方がわかりやすい。小児では，鼻のかゆみのため，外鼻を上下にこすり（allergic salute），鼻内を指でいじり鼻出血が生じることや，鼻尖部に横に走るすじ（allergic crease）がしばしば観察される。また，皮膚の状態で眼のまわりに黒いくま（allergic shiner）がみられることもある。

　成人と同様にアレルギーの状態と原因抗原の決定を行うが，検査法は患児の年齢や発達状況を考慮して選択する。小児では，皮膚反応や誘発試験を実施することは患児の理解と協力が得られないことが多い。一般的には，臨床症状，局所所見，鼻汁好酸球検査でアレルギー性鼻炎の診断を行い，血清特異的IgE検査から感作抗原を明らかにして総合的に診断することになる。小児では感冒や副鼻腔炎などの感染性疾患との鑑別が問題になることも多い。鼻汁の性状や持続期間，発熱，咽頭症状，咳の有無などが鑑別に有用である。特に検査時の感染の合併に注意し，必要に応じて再評価を行う。

4．治　療

　医師と親とのコミュニケーションが大切になる。小学校高学年以上では患児の自覚，納得を得るよう努力しなければならない。通学のために通院できない場合が多く，対応を考えなければならない。

　通年性アレルギー性鼻炎は，発育とともに寛解する傾向にあるが，一般的に小児アレルギー性鼻炎は難治で，治療に長期間を要するので漫然とした頻繁な通院は避ける。上気道炎によるアレルギー性鼻炎の悪化もあるので，上気道炎の治療をなおざりにできない。

　小児ではダニアレルギーが多いので，ダニ駆除，回避を指導し，またペットに近づかないようにも指導する。

　薬物治療は成人に準ずるが，小児適用が認められていない薬剤や，小児用剤形をもつものでもアレルギー性鼻炎に適用のない薬剤もある（表37）。アレルギー性鼻炎治療薬の投与量は，小学校高学年〜中学生は成人の半量が基準となる。抗ヒスタミン薬の中枢抑制作用は成人より少なく，ときに興奮の状態を誘発することもある。局所への薬物のスプレーは，気管支喘息ほど難しくないがときに親の助けがいる。鼻をかませた後に行う。点鼻用血管収縮薬は，小児に対しては倍量希釈して用いる。鼻噴霧用ステロイド薬は，成人では副作用がほとんどみられないが，小児では慎重に投与する。ステロイド薬内服は極力避ける。皮下注射によるアレルゲン免

表37　アレルギー性鼻炎治療薬の小児に対する用法・用量および使用上の注意（1）

	一般名（製品名）	小児の用法・用量	〔小児への投与〕に関する使用上の注意記載
ケミカルメディエーター遊離抑制薬	クロモグリク酸ナトリウム	鼻噴霧用：各鼻腔に1回1噴霧。 1歳 1日2回 3歳 1日2〜3回， 7.5歳以上 1日3〜4回[5]	5歳以下の小児に対する安全性および有効性は確立していない（器具の操作あるいは吸入が困難であるため，使用経験が少ない）。
	トラニラスト （リザベン®）	細粒10％・ドライシロップ5％： 小児1日5mg/kgを3回に分服（増減）	記載なし
	ペミロラストカリウム （アレギサール®・ペミラストン®）	小児の標準投与量（ドライシロップ） 1〜4歳　1.25mg 5〜10歳　2.5mg 11歳以上　5.0mg 1日2回，朝食後および就寝前（増減）	アレギサール®： 低出生体重児，新生児に対する安全性は確立していない（使用経験が少ない）。 ペミラストン®： 低出生体重児，新生児を対象とした有効性および安全性を指標とした臨床試験は実施していない。
第1世代抗ヒスタミン薬	クレマスチンフマル酸塩 （タベジール®）	錠・散：記載なし シロップ：下記1日用量を2回に分服 1〜2歳　4mL 3〜4歳　5mL 5〜7歳　7mL 8〜10歳　10mL 11〜14歳　13mL 1歳未満の乳児に使用する場合には，体重，症状などを考慮して適宜投与量を決める。	乳児，幼児に投与する場合には，観察を十分に行い慎重に投与すること（痙攣，興奮などの中枢神経症状があらわれることがある）。
	アリメマジン酒石酸塩 （アリメジン®）	小児1回投与量例（シロップ）： 1歳　　1mL 2〜3歳　1.5mL 4〜6歳　2mL 7〜9歳　3mL 10〜12歳　3.5mL 1日3〜4回（増減）	記載なし
	d-クロルフェニラミンマレイン酸塩（ポララミン®）	小児1日量： 6カ月　1mg 1歳　1.5mg 3歳　2mg 7.5歳　3mg 12歳　4mg[5]	低出生体重児，新生児には投与しないこと（中枢神経系興奮などの抗コリン作用に対する感受性が高く，痙攣などの重篤な反応があらわれるおそれがある）。
	シプロヘプタジン塩酸塩水和物（ペリアクチン®）	小児の1回投与量例（シロップ）： 2〜3歳　3mL 4〜6歳　4mL 7〜9歳　5mL 10〜12歳　6.5mL 1日1〜3回（増減）	1．新生児・低出生体重児に対する安全性は確立されていないので投与しないこと（新生児へ投与し，無呼吸，チアノーゼ，呼吸困難を起こしたとの報告がある）。 2．乳・幼児において，過量投与により副作用が強くあらわれるおそれがあるので，年齢および体重を十分考慮し，用量を調節するなど慎重に投与すること（抗ヒスタミン薬の過量投与により，特に乳・幼児において，幻覚，中枢神経抑制，痙攣，呼吸停止，心停止を起こし，死に至ることがある）。
第2世代抗ヒスタミン薬	ケトチフェンフマル酸塩 （ザジテン®）	小児の標準投与量（1日量）：シロップ，ドライシロップ 1日量0.06mg/kgを2回（朝食後，就寝前） 6カ月〜2歳　0.8mg 3〜6歳　1.2mg 7歳以上　2.0mg 1歳未満の乳児に使用する場合には体重，症状などを考慮して適宜投与量を決める。	乳児，幼児に投与する場合には，観察を十分に行い慎重に投与すること（痙攣，興奮などの中枢神経症状があらわれることがある）。
	アゼラスチン塩酸塩 （アゼプチン®）	錠0.5mg，1mg： 小児1日量： 幼児1回0.5mg，小学生以上1回1mg，1日2回（朝食後，就寝前）[5]	低出生体重児，新生児，乳児または幼児を対象とした臨床試験は実施していない。
	メキタジン （ゼスラン®，ニポラジン®）	シロップ・小児用細粒： 1回0.06mg/kg，1日2回（増減） 年齢別の標準投与量（1回量） 1〜2歳未満　0.6mg 2〜3歳　0.9mg 4〜6歳　1.2mg 7〜10歳　1.8mg 11〜15歳　3.0mg	低出生体重児，新生児（使用経験がない）および乳児（使用経験が少ない）に対する安全性は確立していない。
	エピナスチン塩酸塩 （アレジオン®）	ドライシロップ1％： 小児1日1回0.25〜0.5mg/kg（増減） 3〜6歳　5〜10mg 7歳以上　10〜20mg	1．低出生体重児，新生児，乳児に対する安全性は確立していない（低出生体重児，新生児には使用経験がない。乳児には使用経験は少ない）。 2．小児気管支喘息に対する本剤の有効性および安全性は確立していない。

表37 アレルギー性鼻炎治療薬の小児に対する用法・用量および使用上の注意（２）

	一般名（製品名）	小児の用法・用量	〔小児への投与〕に関する使用上の注意記載
第２世代抗ヒスタミン薬	エバスチン（エバステル®）	錠・OD錠5mg、10mg： 7.5～11歳　5mg 12歳以上　10mgを1日1回 （ただし40kg未満の場合は1日1回5mg）5)	小児などを対象とした臨床試験は実施していない。
	フェキソフェナジン塩酸塩（アレグラ®）	ドライシロップ5％： 6カ月～2歳未満　1回15mg 2～6歳　1回30mg 7～11歳　1回30mg 12歳以上　1回60mg 錠30mg、60mg、OD錠60mg： 7～11歳　1回30mg 12歳以上　1回60mg 1日2回（増減）	ドライシロップ5％： 低出生体重児、新生児または6カ月未満の乳児を対象とした有効性および安全性を指標とした臨床試験は実施していない。 錠30mg、60mg、OD錠60mg： 低出生体重児、新生児、乳児、幼児を対象とした有効性および安全性を指標とした臨床試験は実施していない。
	ロラタジン（クラリチン®）	ドライシロップ1％： 3～6歳　1回5mg 7歳以上　1回10mg 錠・レディタブ錠10mg： 7歳以上　1回10mg 1日1回食後（増減）	3歳以上7歳未満の小児に対しては、ロラタジンドライシロップ1％を投与すること。 低出生体重児、新生児、乳児または3歳未満の幼児を対象とした臨床試験は実施していない。
	セチリジン塩酸塩（ジルテック®）	錠5mg： 7～15歳未満　1回5mg ドライシロップ1.25％： 2～6歳　1回2.5mg 7～15歳未満　1回5mg 1日2回（朝食後・就寝前）	1．2歳以上7歳未満の小児に対してはセチリジン塩酸塩ドライシロップを投与すること。 2．低出生体重児、新生児、乳児または2歳未満の幼児を対象とした臨床試験は実施していない。
	レボセチリジン塩酸塩（ザイザル®）	シロップ0.05％： 6カ月～1歳未満　1回2.5mL 1日1回 1～6歳　1回2.5mL 7～14歳　1回5mL 1日2回（朝食後および就寝前） 錠5mg： 7歳以上15歳未満　1回2.5mg 1日2回（朝食後および就寝前）	シロップ0.05％： 6カ月未満の乳児などを対象とした臨床試験は実施していない。 錠5mg： 7歳未満の小児などを対象とした臨床試験は実施していない。
	ベポタスチンベシル酸塩（タリオン®）	錠・OD錠5mg、10mg： 7歳以上　1回10mg 1日2回	低出生体重児、新生児、乳児または幼児を対象とした臨床試験は実施していない。
	オロパタジン塩酸塩（アレロック®）	錠・OD錠2.5mg、5mg： 7歳以上　1回5mg 顆粒0.5％： 2～6歳　1回2.5mg 7歳以上　1回5mg 1日2回（朝・就寝前）	錠・OD錠2.5mg、5mg： 低出生体重児、新生児、乳児または幼児を対象とした有効性および安全性を指標とした臨床試験は実施していない。 顆粒0.5％： 低出生体重児、新生児、乳児または2歳未満の幼児を対象とした有効性および安全性を指標とした臨床試験は実施していない。
	フェキソフェナジン塩酸塩/塩酸プソイドエフェドリン配合剤（ディレグラ®）	錠（フェキソフェナジン塩酸塩30mg/塩酸プソイドエフェドリン60mg）： 12歳以上　1回2錠を1日2回（朝・夕空腹時）	低出生体重児、新生児、乳児、幼児または12歳未満の小児に対する有効性および安全性を指標とした臨床試験は実施していない。
	デスロラタジン（デザレックス®）	錠5mg： 12歳以上　5mgを1日1回	国内において、低出生体重児、新生児、乳児、幼児および12歳未満の小児を対象とした臨床試験は実施していない。
	ルパタジンフマル酸塩（ルパフィン®）	錠10mg： 12歳以上　10mgを1日1回	12歳未満の小児などを対象とした臨床試験は実施していない。
抗ロイコトリエン薬	プランルカスト水和物（オノン®）	ドライシロップ10％： 1日量7mg/kgを2回、朝・夕食後 小児体重別標準1回投与量。 12～18kg未満：50mg、 18～25kg未満：70mg、 25～35kg未満：100mg、 35～45kg未満：140mg カプセル112.5mg：記載なし	ドライシロップ10％： 低出生体重児、新生児、乳児を対象とした臨床試験は実施していない。 カプセル112.5mg： 小児などを対象とした臨床試験は実施していない。
鼻噴霧用ステロイド薬	フルチカゾンプロピオン酸エステル（フルナーゼ®）	小児用フルナーゼ点鼻液25μg56噴霧用： 1回各鼻腔に1噴霧（25μg）を1日2回	低出生体重児、新生児、乳児または5歳未満の幼児を対象とした臨床試験は実施していない。
	モメタゾンフランカルボン酸エステル水和物（ナゾネックス®）	12歳未満 各鼻腔に1噴霧（50μg）を1日1回 12歳以上 各鼻腔に2噴霧（100μg）を1日1回	国内において、3歳未満の幼児、乳児、新生児および低出生体重児を対象とした臨床試験は実施していない。
	フルチカゾンフランカルボン酸エステル（アラミスト®）	点鼻液27.5μg56噴霧用、120噴霧用： 1回各鼻腔に1噴霧（27.5μg）を1日1回	低出生体重児、新生児、乳児または2歳未満の幼児を対象とした臨床試験は実施していない。
経口ステロイド薬	ベタメタゾン・d-クロルフェニラミンマレイン酸塩配合剤（セレスタミン®）	シロップ： 1回5mL、1日1～4回（増減）	1．幼児・小児の発育抑制があらわれることがあるので、観察を十分に行い、異常が認められた場合には減量または投与を中止するなど適切な処置を行うこと。 2．長期投与した場合、頭蓋内圧亢進症状があらわれることがある。
生物学的製剤	オマリズマブ（ゾレア®）	皮下注用75mg・150mg： 12歳以上　1回75～600mgを2または4週間ごとに皮下注射	低出生体重児、新生児、乳児、幼児または12歳未満の小児を対象とした臨床試験は実施していない。

（2023年12月現在）
（鼻アレルギー診療ガイドライン2024）

疫療法は 5 歳以上に行い，気管支喘息合併例には投与抗原量の調節を慎重に行う。舌下錠を用いたスギ花粉症およびダニ通年性アレルギー性鼻炎に対するSLITには，年齢制限はない。ただし，5 歳未満の幼児に対する安全性は，使用経験がないため確立されていないことに留意する必要がある［アレルゲン免疫療法の項を参照（p. 61）］。

　鼻腔内通気の改善のために行う手術は発育を考慮して行われる。CO_2レーザーなどを使用したレーザー下鼻甲介手術が小児例にも行われている。画像検査で副鼻腔陰影が認められても，副鼻腔手術は適応でないことが多い。副鼻腔陰影の自然軽快が高率に観察される。

　滲出性中耳炎でアレルギー性鼻炎を合併する場合は，アレルギー性鼻炎が滲出性中耳炎に悪影響を及ぼすことがあるので，合併するアレルギー性鼻炎の治療を積極的に行う。また，アレルギー性鼻炎に感染疾患が併発した場合は鼻症状を悪化させるので，併発疾患も併せて治療する必要がある。

参考文献

1 ）大野裕治：小児アレルギー疾患―ステロイド薬の使い方と注意点―，1．ステロイドの薬理．アレルギーの臨床　1998；**18**：783-788.
2 ）四宮敬介：小児アレルギーのすべて，Ⅲ．アレルギー性疾患の診断・治療，抗アレルギー剤．小児科診療　1998；**61**：698-702.
3 ）馬場廣太郎：小児アレルギーのすべて，Ⅲ．アレルギー性疾患の診断・治療，アレルギー性鼻炎の病態・診断・治療．小児科診療　1998；**61**：809-813.
4 ）増田佐和子：小児においてアレルギー性鼻炎の検査・診断を行う際のポイントを教えてください．JOHNS　2009；**25**：363-365.
5 ）岡　明ほか編：新小児薬用量改訂第 8 版．診断と治療社，東京，2018.

Ⅳ・高齢者（Elderly）

1．疫　学

　加齢に伴い，抗原感作率やアレルギー性鼻炎の有病率は低下する。血清スギ花粉特異的IgEの感作率を調べた報告では，初回調査時50歳代の患者は13年後には15％程度が，60歳代では60％近くが陰転化するとされる。また50歳代以降でスギ花粉特異的IgEが陰性であった場合，スギ花粉大量飛散があっても陽転化することは少ない。

　その一方で，1995年と2005年の50歳代，60歳代のスギ感作率は横ばいから増加している。またスギ花粉症有病率も，60歳代では2008年の21.8％が2019年には36.9％に増加，70歳以上では，2008年の11.3％が2019年には20.5％に増加している。2008年のスギ花粉症有病率は50歳代が33.1％，60歳代は21.8％であったことを考慮すると，近年の高齢者における花粉症の増加傾向は，若年期におけるスギ花粉症有病率の増加を反映しているものと考えられる。

　また，高齢者においては非アレルギー性鼻炎の有病率が上昇するため，鼻炎全体の有病率では若年者と有意な差がないとされている。

表38　高齢期の疾患の特徴

①多臓器疾患が多い（持病が多い）。
②加齢に伴う各臓器の機能低下がある。
③症状が非特異的で青・壮年者と異なる。
④高齢者に特有な病態である老年症候群（認知力低下，転倒，失禁など）がある。
⑤薬剤に対する反応が青・壮年者と異なる。
⑥免疫機能が低下しており，病気が治りにくい。
⑦患者の生活の質（QOL），および予後が社会的要因により大きく影響される。
⑧加齢に伴い，個人差が大きくなる。

（鼻アレルギー診療ガイドライン2024）

2．加齢による鼻機能の変化

　正常な加齢現象でも，鼻の解剖生理に様々な変化が生じ，鼻機能に影響を与える。加齢による組織学的変化としては，杯細胞や線毛細胞数には変化はないものの，鼻腺の容積が減少する。また，粘膜上皮層の高さと基底細胞数が減少し固有層の線維化が進むため，萎縮した粘膜となる。高齢者では，これらの粘膜萎縮と鼻粘膜の血流の減少により，鼻腔の加湿，加温機能が減弱する。

　加齢により生じる鼻症状の1つとして水様性鼻漏が前鼻孔より生じる，いわゆる老人性鼻漏がある。これは，加齢に伴う粘膜萎縮による，鼻腔内水分の再吸収障害と蒸発障害および線毛機能障害が原因とされる。水様性鼻汁がアレルギー性鼻炎と類似するが，くしゃみや瘙痒感を認めず，鼻粘膜の腫脹も認めない。

　高齢者では難治の後鼻漏を訴えることが多い。加齢に伴う粘膜萎縮による線毛機能低下，粘弾性の高い鼻汁の増加に加え，後鼻孔から上咽頭における知覚過敏も関係するとされる。

3．診断と治療

　高齢者のアレルギー性鼻炎の診断は，通常のアレルギー性鼻炎の診断に準ずる。高齢者は皮膚テストや血清特異的IgEの感受性がやや低下するが，これらの検査の診断価値は，若年者と有意な差を認めない。また前述のように，高齢者では非アレルギー性鼻炎や老人性鼻炎など，アレルギー性鼻炎と症状が類似する疾患の頻度が高いことより，これらの疾患との鑑別およびアレルギー性鼻炎と非アレルギー性鼻炎の合併を念頭に置き，診断治療を行う必要がある。

　治療も青・壮年者の治療に準ずるが，高齢者では加齢に伴う各臓器の機能低下がみられるなど，薬剤に対する反応が青・壮年者とは異なる（表38）。高齢者では基礎疾患が多く，服用する薬剤も青・壮年者よりも多い傾向がある。薬剤投与に関しては，薬剤相互作用に注意する。高齢者では緑内障や前立腺肥大を合併する頻度が高く，また高齢者に特有な病態である老年症候群（認知力低下，転倒，失禁など）を合併することがあるため，抗ヒスタミン薬投与時には病歴をよく確認する必要がある（図15）。また，投薬に反応が乏しい場合，レーザー治療，下鼻甲介切断術，後鼻神経切断術などの手術療法が選択肢として挙げられる。しかし，加齢により鼻粘膜萎縮の状態にあり，手術により乾燥症状が増悪したり痂皮形成が促進される場合もあるため

禁忌・慎重投与	ケトチフェン	アゼラスチン塩酸塩	オキサトミド	メキタジン	エメダスチンフマル酸塩	エピナスチン塩酸塩	エバスチン	レボセチリジン塩酸塩 1)	ベポタスチンベシル酸塩	フェキソフェナジン塩酸塩	オロパタジン塩酸塩	デスロラタジン 2)	ビラスチン	ルパタジンフマル酸塩
高齢者	注	注	慎	慎			注	慎	注		慎	慎		慎
腎機能低下患者				慎				慎	慎		慎	慎	慎	慎
肝機能障害患者			慎		慎	慎	慎	慎			慎	慎		慎
緑内障患者				禁										
前立腺肥大などの下部尿路閉塞性疾患患者				禁										
自動車運転など危険を伴う機械の操作	禁3)	禁3)	禁3)	禁3)	禁3)	注4)	注4)	禁3)	注4)		禁3)			禁3)

図15　第2世代ヒスタミンH₁受容体拮抗薬の使用における禁忌事項および慎重投与
注：注意，慎：慎重投与，禁：禁忌
1)セチリジン塩酸塩を含む，2)ロラタジンを含む，3)自転車の運転など危険を伴う機械の操作には従事させないこと，4)自動車の運転など危険を伴う機械の操作に注意させること　　　　　　　　　　　　（添付文書より）
（鼻アレルギー診療ガイドライン2024）

注意が必要である。アレルゲン免疫療法については適応年齢の上限はないが，65歳以上の高齢者については慎重に適応を選択する。

参考文献
1）Mins JW：Epidemiology of allergic rhinitis. Int Forum Allergy Rhinol　2014；**4**（Suppl. 2）：S18-20.
2）岡本美孝ほか：高齢者のアレルギー性鼻炎．感作，発症，寛解，治癒．アレルギーの臨床　2009；**29**：485-490.
3）Yonekura S, et al.：Effects of aging on the natural history of seasonal allergic rhinitis in middle-aged subjects in south chiba, Japan. Int Arch Allergy Immunol　2012；**157**：73-80.
4）松原　篤ほか：鼻アレルギーの全国疫学調査2019（1998年，2008年との比較）：速報―耳鼻咽喉科医およびその家族を対象として―．日耳鼻　2020；**123**：485-490.
5）Shargorodsky J, et al.：Allergic sensitization, rhinitis and tabacco smoke exposure in US adults. PLoS One　2015；**10**：e0131957.
6）野中　聡：高齢者における病態生理と対応―高齢者の鼻腔粘膜乾燥の病態とその対応―．日耳鼻　2001；**104**：832-835.
7）Bende M：Blood flow with 133Xe in human nasal mucosa in relation to age, sex and body position. Acta Otolaryngol　1983；**96**：175-179.
8）市村恵一：老人性疾患の予防と対策，老人性鼻漏．JOHNS　2012；**28**：1352-1356.
9）竹野幸夫：後鼻漏の病態生理．JOHNS　2016；**32**：1027-1031.
10）Bozek A：Pharmacological management of allergic rhinitis in the elderly. Drugs Aging　2017；**34**：21-28.
11）朝子幹也：副鼻腔炎，アレルギー性鼻炎に対する投薬．MB-ENT　2016；**190**：20-23.

表39　OASの診断基準（参考文献 6 より）

①特定の食物を摂取時に口腔・咽頭粘膜の過敏症状を示す。
②①の食物によるプリックテストが陽性を示す。
③血清中に①の食物特異的IgEが証明される。
※①を必須として，②または③を満たす場合をOASと診断する。
＜参考所見＞
・特異的IgE検査よりも，プリックテストの信頼性が高い。
・果物，野菜が原因の場合は，関連する花粉【カバノキ科（シラカンバ，ハンノキ），イネ科（オオアワガエリ，カモガヤ），キク科（ブタクサ，ヨモギ）】で特異的IgEが証明されることが多い。カバノキ科花粉はバラ科果物（リンゴ，モモ，サクランボなど）やマメ科，イネ科花粉・ブタクサはウリ科果物（メロン，スイカなど），ヨモギ花粉はセリ科野菜と交差反応しやすい。
・ラテックス-フルーツ症候群においてもバナナなどによる交差反応が生じることがある。

(特殊型食物アレルギー診療の手引き2015作成委員会：2015.)

V・口腔アレルギー症候群（Oral allergy syndrome）

　口腔アレルギー症候群（Oral allergy syndrome：OAS）とは，食物の摂取時に口腔・咽頭粘膜を中心に生じるIgE伝達性即時型食物アレルギーである。即時型食物アレルギーの特殊型で，食物摂取時に口腔・咽頭粘膜の過敏症状を示す。まれにショックを来すことがある。表39に提唱されているOASの診断基準を示す。

　食物アレルギーの中でも従来の食物を摂取することで経腸管感作により生じる食物アレルギーをクラス 1 食物アレルギーと呼ぶ。この場合，感作抗原と誘発抗原は同一であり，熱や消化酵素に対して安定性が高い完全食物アレルゲンが関与する。一方，花粉など他の抗原を吸入・接触することで感作され，抗原の交差反応性により生じる食物アレルギーはクラス 2 食物アレルギーと呼ぶ。この場合は，感作抗原と誘発抗原は異なり，熱処理や消化酵素に対して不安定な不完全食物アレルゲンによって生じる。OASの多くはクラス 2 食物アレルギーに含まれるが，クラス 1 食物アレルギーが口腔内に限局する場合もOASに含まれる。このため，花粉抗原に感作後，花粉と共通抗原性をもつ食物を摂取した場合に生じるクラス 2 食物アレルギーは，花粉-食物アレルギー症候群（pollen-food allergy syndrome：PFAS）と呼び，OASと区別されている。本ガイドラインでは，PFASに伴うOASを中心に記載する。

　OASは，花粉症やラテックスアレルギーの患者に合併することが多いが，その背景には果物・野菜・穀類の花粉アレルゲンや，ラテックスアレルゲンとOASの原因となる食物アレルゲンとの間で共通する交差反応性分子（PR蛋白，プロフィリンなど）の存在が示されている（表40）。

　OASは種々の花粉症患者に合併するが，シラカンバ・ハンノキ花粉症で多く発症することが知られている。花粉症の種類によってOASの原因となる食物にも相違がある。イネ科の花粉症ではトマト，メロン，スイカ，オレンジが多く，ヨモギ，ブタクサの花粉症ではメロン，スイカ，セロリが多いと報告されている。このように，リンゴ，モモなどのバラ科の果物のようにシラカンバ花粉症患者で高率にOASを起こすものがある一方で，メロン，スイカ，キウイフ

表40　花粉-食物アレルギー症候群に関与する花粉と植物性食品（参考文献7より）

花粉			交差反応に関与する主なプロテインファミリー	交差反応が報告されている主な食物
科	属	種		
カバノキ科	ハンノキ属	ハンノキ オオバヤシャブシ	Bet v 1 ホモログ （別名：PR-10） プロフィリン（頻度が低い）	バラ科（リンゴ，モモ，サクランボ，ナシ，アンズ，アーモンド），マメ科（大豆，ピーナッツ，緑豆もやし），マタタビ科（キウイフルーツ）カバノキ科（ヘーゼルナッツ）など
	カバノキ属	シラカンバ		
ヒノキ科	スギ属	スギ	Polygalacturonase	ナス科（トマト）
イネ科	アワガエリ属	オオアワガエリ	プロフィリン	ウリ科（メロン，スイカ），ナス科（トマト），マタタビ科（キウイフルーツ），ミカン科（オレンジ），マメ科（ピーナッツ）など
	カモガヤ属	カモガヤ		
キク科	ブタクサ属	ブタクサ	プロフィリン	ウリ科（メロン，スイカ，ズッキーニ，キュウリ），バショウ科（バナナ）など
	ヨモギ属	ヨモギ	プロフィリン	セリ科（セロリ，ニンジン，スパイス類：クミン，コリアンダー，フェンネルなど），ウルシ科（マンゴー）など

特定の花粉にアレルギーを有する場合に，右に示す植物性食品による食物アレルギーを合併しやすい。ただし，この組み合わせ以外でも症状が誘発されることがある。

（日本小児アレルギー学会食物アレルギー委員会：協和企画，2021.）

ルーツのように種々の花粉症で比較的高頻度に原因食物となっているものがある。スギ花粉症ではトマトによるOASの報告があり，スギ花粉の主要抗原であるCry j 1, Cry j 2との共通抗原性が示されているが頻度は高くない。なお，ラテックスアレルギー患者でのOASの原因食物としてはアボガド，クリ，バナナ，キウイフルーツが多い。

　OASの臨床症状は食物摂取直後から始まる。口唇，舌，口蓋，咽頭，喉頭の急激な瘙痒感，刺痛感，血管性浮腫などで，通常これらの症状は次第に治まっていく。まれに喉頭絞扼感や呼吸困難など重篤な症状を来す場合も報告されている。OASの診断は，病歴および新鮮な食物を用いたプリックテストあるいはBet v 1などのアレルゲンコンポーネントによるIgEなどの証明によって行う。

　治療は，原因食物の摂取を避けることが基本であるが，加熱処理によって経口摂取が可能になる場合が多い。まれに重篤な症状につながる場合もあるため，アナフィラキシーの既往がある患者には，緊急時に備えて携帯用のアドレナリン注射キット，経口抗ヒスタミン薬，経口ステロイド薬を診断書とともに持たせておく。花粉症に対するアレルゲン免疫療法により花粉と関連した食品に対するOASが改善したという報告もみられるが，この効果に関して一定の結論は出ていない。

第6章　その他

参考文献

1）Amlot PL, et al.：Oral allergy syndrome（OAS）：symptoms of IgE-mediated hypersensitivity to foods. Clin Allergy　1987；**17**：33-42.
2）Breiteneder H, et al.：Molecular and biochemical classification of plant-derived food allergens. J Allergy Clin Immunol　2000；**106**：27-36.
3）矢上　健：OASに関する交差反応性抗原の特徴. 医学のあゆみ　2004；**209**：143-146.
4）桐野実緒ほか：口腔アレルギー up-to-date. 上気道アレルギー疾患研究―最近の進歩から. pp.82-86, 医歯薬出版, 東京, 2007.
5）Hansen KS, et al.：Component-resolved in vitro diagnosis of hazelnut allergy in Europe. J Allergy Clin Immunol　2009；**123**：1134-1141.
6）特殊型食物アレルギー診療の手引き2015作成委員会：口腔アレルギー症候群（oral allergy syndrome）. 特殊型食物アレルギー診療の手引き. 2015.
7）日本小児アレルギー学会食物アレルギー委員会：食物アレルギー診療ガイドライン2021. 協和企画, 東京, 2021.

Ⅵ・アナフィラキシー（Anaphylaxis）

　日本アレルギー学会より『アナフィラキシーガイドライン2022』が発行されている. 本項ではその概要について述べる.

1. 定　義
　アナフィラキシーは重篤な全身性の過敏反応であり, 通常は急速に発現し, 死に至ることもある. 重症のアナフィラキシーの特徴は, 致死的になり得る気道・呼吸・循環器症状により特徴づけられるが, 典型的な皮膚症状や循環性ショックを伴わない場合もある.

2. 診断基準（図16）
　以下の2つの基準のいずれかを満たす場合, アナフィラキシーである可能性が非常に高い.
　1. 皮膚, 粘膜, またはその両方の症状（全身性の蕁麻疹, 瘙痒または潮紅, 口唇・舌・口蓋垂の腫脹など）が急速に（数分～数時間で）発症した場合.
　2. 典型的な皮膚症状を伴わなくても, 当該患者にとって既知のアレルゲンまたはアレルゲンの可能性がきわめて高いものに曝露された後, 血圧低下または気管支攣縮または喉頭症状が急速に（数分～数時間で）発症した場合.
　上記の「1. 皮膚, 粘膜, またはその両方の症状（全身性の蕁麻疹, 瘙痒または潮紅, 口唇・舌・口蓋垂の腫脹など）が急速に（数分～数時間で）発症した場合」, さらに, 少なくとも次の1つを伴う.
　A. 気道/呼吸：重度の呼吸不全（呼吸困難, 呼気性喘鳴・気管支攣縮, 吸気性喘鳴, PEF低下, 低酸素血症など）.
　B. 循環器：血圧低下または臓器不全に伴う症状（筋緊張低下［虚脱］, 失神, 失禁など）.
　C. その他：重度の消化器症状（重度の痙攣性腹痛, 反復性嘔吐など［特に食物以外のアレルゲンへの曝露後］）.

以下の2つの基準のいずれかを満たす場合，アナフィラキシーである可能性が非常に高い。

1. 皮膚，粘膜，またはその両方の症状（全身性の蕁麻疹，瘙痒または潮紅，口唇・舌・口蓋垂の腫脹など）が急速に（数分～数時間で）発症した場合。

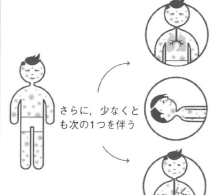

A. 気道/呼吸：重度の呼吸不全（呼吸困難，呼気性喘鳴・気管支攣縮，吸気性喘鳴，PEF低下，低酸素血症など）

B. 循環器：血圧低下または臓器不全に伴う症状（筋緊張低下［虚脱］，失神，失禁など）

C. その他：重度の消化器症状（重度の痙攣性腹痛，反復性嘔吐など［特に食物以外のアレルゲンへの曝露後］）

さらに，少なくとも次の1つを伴う

2. 典型的な皮膚症状を伴わなくても，当該患者にとって既知のアレルゲンまたはアレルゲンの可能性がきわめて高いものに曝露された後，血圧低下*または気管支攣縮または喉頭症状#が急速に（数分～数時間で）発症した場合。

乳幼児・小児：
収縮期血圧が低い（年齢別の値との比較），または30％を超える収縮期血圧の低下*

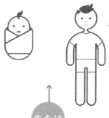

成人：
収縮期血圧が90mmHg未満，または本人のベースライン値に比べて30％を超える収縮期血圧の低下

または

気管支攣縮　　　　喉頭症状

図16　アナフィラキシーの診断基準（参考文献1より）
*血圧低下は，本人のベースライン値に比べて30％を超える収縮期血圧の低下がみられる場合，または以下の場合と定義する。
　　　　i 乳児および10歳以下の小児：収縮期血圧が（70＋［2×年齢（歳）］）mmHg未満
　　　　ii 成人：収縮期血圧が90mmHg未満
#喉頭症状：吸気性喘鳴，変声，嚥下痛など

（Anaphylaxis対策委員会：日本アレルギー学会，2022.）

　乳幼児・小児：収縮期血圧が低い（年齢別の値との比較），または30％を超える収縮期血圧の低下。

　成人：収縮期血圧が90mmHg未満，または本人のベースライン値に比べて30％を超える収縮

表41　アナフィラキシーにより誘発される器官症状の重症度分類（参考文献 1 より）

		グレード1 （軽症）	グレード2 （中等症）	グレード3 （重症）
皮膚・粘膜症状	紅斑・蕁麻疹・膨疹	部分的	全身性	←
	瘙痒	軽い瘙痒（自制内）	瘙痒（自制外）	←
	口唇，眼瞼腫脹	部分的	顔全体の腫れ	←
消化器症状	口腔内，咽頭違和感	口，のどのかゆみ，違和感	咽頭痛	←
	腹痛	弱い腹痛	強い腹痛（自制内）	持続する強い腹痛（自制外）
	嘔吐・下痢	嘔気，単回の嘔吐・下痢	複数回の嘔吐・下痢	繰り返す嘔吐・便失禁
呼吸器症状	咳嗽，鼻汁，鼻閉，くしゃみ	完結的な咳嗽，鼻汁，鼻閉，くしゃみ	断続的な咳嗽	持続する強い咳き込み，犬吠様咳嗽
	喘鳴，呼吸困難	―	聴診上の喘鳴，軽い息苦しさ	明らかな喘鳴，呼吸困難，チアノーゼ，呼吸停止，$SpO_2 \leqq 92\%$，締めつけられる感覚，嗄声，嚥下困難
循環器症状	頻脈，血圧	―	頻脈（＋15回/分），血圧軽度低下，蒼白	不整脈，血圧低下，重度徐脈，心停止
神経症状	意識状態	元気がない	眠気，軽度頭痛，恐怖感	ぐったり，不穏，失禁，意識消失

血圧低下：
　1 歳未満＜70mmHg
　1〜10歳＜[70＋（2×年齢）]mmHg
　11歳〜成人＜90mmHg

血圧軽度低下：
　1 歳未満＜80mmHg
　1〜10歳＜[80＋（2×年齢）]mmHg
　11歳〜成人＜100mmHg

（Anaphylaxis 対策委員会：日本アレルギー学会，2022.）

期血圧の低下。

3．重症度

　表41のグレード 1 （軽症）の症状が複数あるのみでは，アナフィラキシーとは判断しない。グレード 3 （重症）の症状を含む複数臓器の症状，グレード 2 （中等症）以上の症状が複数ある場合は，アナフィラキシーと診断する。重症度（グレード）判定は，表41を参考として最も高い器官症状によって行う。重症度を適切に評価し，各器官の重症度に応じた治療を行う。多数のグレード評価方法が報告されているが，評価方法ごとに重症度は異なり，よりシンプルなグレード評価が望ましい。

4．鑑別のポイント

　予防接種や歯科治療など患者に恐怖や不安をもたらす可能性がある処置では血管迷走神経反射（失神；faint）を生じるケースがある。後方視的にBrighton分類でアナフィラキシーだったかどうかの推定を行う。急性期診療では，両者の鑑別は困難であるが，ABCDEアプローチから血管迷走神経反射とアナフィラキシーを鑑別するポイントを表42に示す。

　鑑別診断として様々な疾患が挙げられるが（表43），アナフィラキシーの80〜90％では皮膚・粘膜症状が出現することより，臨床現場で最も鑑別が問題となるのは，急性の全身性蕁麻疹および血管浮腫である。皮膚・粘膜症状が突然に出現した場合，他臓器症状の有無を確認しなが

表42　鑑別のポイント（参考文献 1 より）

鑑別困難な疾患・症状	共通する症状	鑑別ポイント
喘息	喘鳴，咳嗽，息切れ	喘息増患（発作）では瘙痒感，蕁麻疹，血管性浮腫，腹痛，血圧低下は生じない。
不安発作／パニック発作	切迫した破滅感，息切れ，皮膚紅潮，頻脈，消化器症状	不安発作／パニック発作では蕁麻疹，血管性浮腫，喘鳴，血圧低下は生じない。
血管迷走神経反射	血圧低下	純粋な血管迷走神経反射による症状は臥位をとると軽減され，通常は蒼白と発汗を伴い，蕁麻疹，皮膚紅潮，呼吸器症状，消化器症状がない。

その他，年齢および性別を考慮することは，アナフィラキシーの鑑別診断に有用である。

（Anaphylaxis 対策委員会：日本アレルギー学会，2022.）

らすばやく問診をとる。症状発現の数時間前までの食物摂取や薬物服用および周辺状況（運動，飲酒，感冒罹患，旅行，月経など）に関する聴取により，アナフィラキシーの可能性を考える。

5. アナフィラキシーの機序と誘因（図17）

　アナフィラキシーの機序は多岐にわたるが，最も頻度の高い機序はIgEが関与する免疫学的機序である。IgEが関与しないアナフィラキシーには免疫学的機序と非免疫学的機序がある。マスト細胞が直接活性化されることでもアナフィラキシーとなり得る。

　IgEが関与する機序に多くみられる誘因は，食物，刺咬昆虫（ハチ，蟻）の毒，薬剤である。薬剤は，IgEが関与しない免疫学的機序，およびマスト細胞を直接活性化することによっても，アナフィラキシーの誘因となり得る。造影剤は，IgEが関与する機序と関与しない機序の両者により，アナフィラキシーの誘因となり得る。アナフィラキシーの誘因の特定は，発症時から遡る数時間以内における飲食物，薬剤，運動，急性感染症への罹患，精神的ストレスなど，アレルゲン物質への曝露，経過に関する詳細な情報に基づいて行う。

　アナフィラキシーの特異的誘因の多くは世界共通であるが，年齢により異なり，食習慣，刺咬昆虫に曝露する頻度，薬剤の使用率により地域によっても異なる。特に頻度が高いのは食物，薬剤，昆虫毒で，X線造影剤を含む診断用薬，血液製剤を含む生物学的製剤が最多であり，次いで抗腫瘍薬，抗生物質製剤が原因となることが多い。アナフィラキシー症例における死亡例の割合は，診断用薬が28.7%，抗生物質製剤が23.9%とされる。投与経路は静脈内投与が最多であり，投与経路別の死亡率は冠動脈投与が最も高かった。あらゆる医薬品が誘因となる可能性があり，複数回，安全に使用できた医薬品でも発症する可能性がある。アナフィラキシー発症の危険性が高い医薬品を静脈内注射で使用する際は，少なくとも薬剤投与開始時より 5 分間は注意深く患者を観察する。

1) 食物

　欧米ではピーナッツ，木の実類が多く，日本では鶏卵，乳製品，小麦，木の実類が多い。木の実類によるアナフィラキシーは増えており，愛知県の小児では2017年が6.0%，2019年が15.3%

表43　鑑別困難な疾患・症状（参考文献１より）

【臓器症状の側面から】	【発症背景や病態から】
気道症状	食事・食物関連
□ 喘息の増悪（発作）[a]	□ 仮性アレルゲンによる中毒症状[c]
□ 異物の誤嚥・窒息	ーヒスタミン中毒，セロトニン中毒，チラミン中毒
□ 過換気症候群[b]	□ グルタミン酸ナトリウムによる過敏症
ー器質的疾患によるもの	□ 亜硫酸塩による過敏症
ー不安発作／パニック発作	□ 生物毒による中毒（フグ，貝毒，スイセンなど）
精神・神経症状（意識障害）[b]	□ 狭義の食中毒（細菌，ウイルス，真菌など）
□ 失神	□ 消化管アニサキス症
ー血管迷走神経反射	□ 乳糖不耐症
ー神経調節性失神（たちくらみ）	□ グルテン不耐症
□ 神経学的イベント	ーセリアック病
ーてんかん	内因性ヒスタミン過剰症
ー脳血管障害	□ マスト（肥満）細胞症／クローン性マスト細胞異常[d]
□ 解離性（転換性）障害	□ 好塩基球性白血病
皮膚・粘膜症状	各種のショック
□ 急性全身性蕁麻疹[a]	□ 循環血液量減少性
□ 血管性浮腫	□ 心原性
□ 自家感作性皮膚炎	□ 血液分布異常性（アナフィラキシー以外）[e]
□ 接触皮膚炎	精神疾患，精神心理的な要素が関わる病態
□ マスト（肥満）細胞症／クローン性マスト細胞異常[d]	□ 過換気症候群[b]
□ 虫刺症[c]	□ 恐怖や不安に伴う血管迷走神経反射
□ レッドマン症候群（バンコマイシン）	□ 身体表現性障害（心身症）
消化器症状	□ 解離性（転換性）障害
□ 好酸球性消化管障害	皮膚が紅潮する疾患・病態[f]
□ 機能性ディスペプシア	□ カルチノイド症候群
□ 消化管アニサキス症	□ レッドマン症候群（バンコマイシン）
□ 食中毒	□ 閉経周辺期
循環器症状	□ 甲状腺疾患（バセドウ病，甲状腺髄様癌など）
□ 心血管イベント	□ 赤血球増多症（多血症）
ー急性冠症候群（急性心筋梗塞[a]，不安定狭心症）	□ 更年期障害
ー肺血栓塞栓症	□ 肥満者の運動
□ 心不全	その他
□ 褐色細胞腫（奇異反応）	□ 非アレルギー性血管性浮腫
□ 全身性毛細管漏出症候群	ー遺伝性血管性浮腫 I型，II型，III型
	ー医薬品関連の血管性浮腫
	ーACE阻害薬
	ーNSAIDs
	ー経口ピルほか
	□ 虐待，代理ミュンヒハウゼン症候群[g]

a．喘息増患（発作）の症状，急性全身性蕁麻疹，または心筋梗塞の症状は，アナフィラキシーと鑑別が困難な場合がある。

b．急性期におけるアナフィラキシー診療で，精神・神経症状特に突如意識消失する病態との鑑別は容易ではない。切迫した破滅感や意図しない無呼吸とそれに続発する過呼吸はアナフィラキシーの神経・精神症状と非常に類似している。

c．常温下で保存されたサバやマグロなどの魚肉に由来するヒスタミンによる中毒が有名である。通常，その魚肉を摂食した複数名が発症するが，孤発例も少なくない。熟れた野菜や果実，貯蔵食品，ワイン，チョコレートなどにも生理活性物質が混入していることがある。

d．マスト（肥満）細胞症／クローン性マスト細胞異常を有する場合，アナフィラキシーのリスクが高い。また，アナフィラキシーが本疾患の初期症状にもなり得る。

e．血液分布異常性ショックは，アナフィラキシーまたは敗血症または脊髄損傷に起因する。

f．過度な緊張や不安は顔面を含めた皮膚を紅潮させ，ときにアレルギーによる皮疹と区別が困難なred blotch（俗語：赤色斑）を生じる。また，強い不安から，患者自身が顔面を擦ったり，皮膚をなでたり引っ掻いたりすることで皮膚の発赤が生じ得る。

g．患児が異様なくらい頻繁にアナフィラキシー様症状や喘息様症状を引き起こしている場合には，保護者の代理によるミュンヒハウゼン症候群にも留意する。

（Anaphylaxis 対策委員会：日本アレルギー学会，2022.）

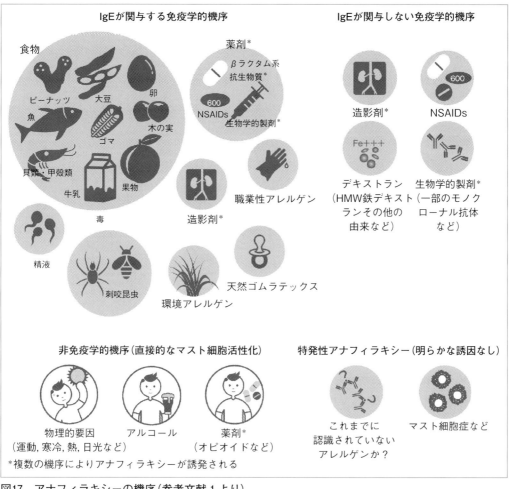

図17　アナフィラキシーの機序（参考文献１より）

（Anaphylaxis 対策委員会：日本アレルギー学会，2022.）

であった。最も頻度の高い原因食物は年齢別に異なり，0〜3歳が鶏卵，4〜6歳が牛乳，7〜19歳がピーナッツ，20歳以上が小麦であった。食物によるアナフィラキシーは自宅で発生する頻度が最も高い。多くは特異的IgEが関与する即時型反応で，典型例では摂取後数分以内に起こるが，30分以上経って症状を呈する場合もある。食物アレルギーの除去解除が進んで少量の原因食物の摂取が可能（経口免疫療法の経過中も含む）となった場合でも，感冒や疲労，運動，入浴などに伴って誘発される場合がある。

2）昆虫

　人口の0.36％がハチ毒過敏症状を呈する（栃木県8万人の調査）。林野庁営林局（現森林管理局）の職員の67.5％にハチ刺傷歴があり，ショック症状は11.8％と報告されている（全国40,382名の調査）。林業・木材製造業従事者の40％，電気工事従事者の30％がハチ毒特異的IgE陽性である（栃木県および福島県1,718名の調査）。ハチ刺傷はアシナガバチ，スズメバチ，ミツバチの順

に多い。短期間に2回刺傷されるとアナフィラキシーを生じやすい。ハチ毒アレルギーに対するアレルゲン免疫療法が有効であるが，日本では保険適用がない。スズメバチ毒およびアシナガバチ毒の主要アレルゲンとして，タンパク質のアンチゲン5や酵素のホスホリパーゼAが知られている。ハチ毒以外の昆虫毒アレルギーとして，蟻（オオハリアリ，ヒアリ）刺傷によるアナフィラキシー発症例や死亡例が報告されている。

3）造影剤

数千件に1件の率でアナフィラキシーが起きるといわれる。近年用いられている非イオン性，低浸透圧造影剤の重症の副作用の割合は0.04%とされる。IgEは通常関与しないが，一部の例では関与し得る。X線造影剤でもMRI造影剤でも，アナフィラキシー重症化因子として気管支喘息が挙げられており，特に必要な場合にのみ慎重に投与するのが原則となっている。

4）生物学的製剤

投与直後または投与の数時間後，薬剤によっては24時間以降にアナフィラキシーの発生が報告されている。多くは機序不明で，初回投与でも複数回投与後でも起こり得る。

5）アレルゲン免疫療法

SCITの場合には，特に増量過程でアナフィラキシーが生じる可能性があり，100万注射機会に1回重篤な全身反応が生じ，2,300万注射機会に1回の頻度で死亡例がある。維持療法においても投与量の誤り，または注射間隔の極端な延長などによって，アナフィラキシーが生じる可能性はまれではない。

SLITの場合はその頻度は低く，死亡例はないものの，アナフィラキシーを生じた症例が1億回の投与に1回程度の頻度で報告されている。

アレルゲン免疫療法による全身症状の頻度は，SCITで1,127例中23例，SLITで451例中9例であり，アドレナリン投与を要したのは2例のみであった。わが国のSLITによる全身症状の頻度は，ダニ舌下錠で0.0～0.5%，スギ花粉舌下錠が0%と報告されている。

6．治　療
1）初期対応

患者または医療従事者がアナフィラキシーを疑う場合には，**図18**の手順に従い，迅速に対応すべきである。アナフィラキシー発症時には体位変換をきっかけに急変する可能性があるため（empty vena cava/empty ventricle syndrome），急に座ったり立ち上がったりする動作を行わない。原則として，立位でなく仰臥位にする。呼吸困難がある場合には坐位，妊娠している場合には左側を下にして半仰臥位，意識消失状態の場合は回復体位にする。院内救急体制を利用して支援要請を行う。

① アナフィラキシーを認識し，治療するための**文書化された緊急時用プロトコールを作成**し，定期的に実地訓練を行う。

② 可能ならば，**曝露要因を取り除く**。
例：症状を誘発していると思われる検査薬や治療薬を静脈内投与している場合は中止する。

③ **患者を評価する**：気道/呼吸/循環，精神状態，皮膚，体重を評価する。

④ **助けを呼ぶ**：可能ならば蘇生チーム（院内）または救急隊（地域）。

⑤ 大腿部中央の前外側に**アドレナリン**（1：1,000［1mg/mL］溶液）**0.01mg/kgを筋注する**（最大量：成人0.5mg，小児0.3mg）。**投与時刻を記録**し，必要に応じて**5〜15分毎に再投与する**。ほとんどの患者は1〜2回の投与で効果が得られる。

⑥ **患者を仰臥位にする**，または呼吸困難や嘔吐がある場合は楽な体位にする。**下肢を挙上させる**。突然立ち上がったり座ったりした場合，数秒で急変することがある。

⑦ 必要な場合，フェイスマスクか経口エアウェイで**高流量**（6〜8L/分）の**酸素投与**を行う。

⑧ 留置針またはカテーテル（14〜16Gの太いものを使用）を用いて**静脈路を確保**する。0.9%（等張）食塩水1〜2Lの急速投与を考慮する（例：成人ならば最初の5〜10分に5〜10mL/kg，小児ならば10mL/kg）。

⑨ 必要に応じて胸部圧迫法で**心配蘇生を行う**。

⑩ 頻回かつ定期的に患者の血圧，心拍数・心機能，呼吸状態，酸素濃度を評価する（可能ならば持続的にモニタリング）。

ステップ4，5，6を速やかに並行して行う

さらに

図18 アナフィラキシーの管理（参考文献1より）

（Anaphylaxis 対策委員会：日本アレルギー学会，2022.）

2）アドレナリンの適応

アドレナリン筋注の適応は前出のアナフィラキシーの重症度評価におけるグレード3（重症）の症状（不整脈，低血圧，心停止，意識消失，嗄声，犬吠様咳嗽，嚥下困難，呼吸困難，喘鳴，チアノーゼ，持続する我慢できない腹痛，繰り返す嘔吐など）である。

過去の重篤なアナフィラキシーの既往がある場合や症状の進行が激烈な場合はグレード2（中等症）でも投与することもある。気管支拡張薬吸入で改善しない呼吸器症状もアドレナリン筋注の適応となる。妊娠中のアナフィラキシー患者に対しても，アドレナリン筋注の適応とな

表44 アドレナリン筋注の推奨用量（参考文献１より）

体重１kgあたり0.01mg，最大総投与量0.5mg ： 1 mg/mL（1：1000）[a]のアドレナリン0.5mL相当	
体重10kg以下の乳幼児	0.01mL/kg＝1 mg/mL（1：1000）を0.01mg/kg
1～5歳の小児	0.15mg＝1 mg/mL（1：1000）を0.15mL
6～12歳の小児	0.3mg＝1 mg/mL（1：1000）を0.3mL
13歳以上および成人	0.5mg＝1 mg/mL（1：1000）を0.5mL

a．筋肉注射には，より適切な量を注射できる1 mg/mL（1：1000）が推奨される。
（Anaphylaxis 対策委員会：日本アレルギー学会，2022.）

る。アナフィラキシーと診断した場合または強く疑われる場合は，大腿部中央の前外側に0.1％アドレナリン（1：1,000；1 mg/mL）0.01mg/kgを直ちに筋肉注射する。アドレナリンの最大投与量は，成人0.5mg，小児0.3mgであり，**表44**に示すように簡素化してもよい。経静脈投与は心停止もしくは心停止に近い状態では必要であるが，それ以外では不整脈，高血圧などの有害作用を起こす可能性があるので，推奨されない。アドレナリン血中濃度は筋注後10分程度で最高になり，40分程度で半減する。アドレナリンの効果は短時間で消失するため，症状が治療抵抗性を示す場合は，5～15分ごとに繰り返し投与する。

　アナフィラキシーの基本的な初期治療を行っても反応が乏しい患者は，可能であれば，救急医療，救命救急医療，または麻酔・蘇生専門チームの治療に迅速に委ねる。

　アドレナリン自己注射薬（エピペン®）の使い方および指導については，**図19**に示す。

参考文献

1）Anaphylaxis 対策委員会：アナフィラキシーガイドライン2022．日本アレルギー学会，2022．
2）Katayama H, et al.：Adverse reactions to ionic and nonionic contrast media. A report from the Japanese Committee on the Safety of Contrast Media. Radiology 1990；**175**：621-628.
3）Carra S, et al.：Anaphylaxis and pregnancy：a systematic review and call for public health actions. J Allergy Clin Immunol Pract　2021；**12**：4270-4278.
4）Cardona V, et al.：世界アレルギー機構アナフィラキシーガイダンス2020．アレルギー　2021；**70**：1211-1234.
5）「食物アレルギーの診療の手引き2020」検討委員会：食物アレルギーの診療の手引き2020．日本医療研究開発機構，2020．
6）日本小児アレルギー学会食物アレルギー委員会：食物アレルギー診療ガイドライン2021．協和企画，東京，2022．
7）日本ラテックスアレルギー研究会ラテックスアレルギー安全対策ガイドライン作成委員会：ラテックスアレルギー安全対策ガイドライン2018．協和企画，東京，2018．
8）「職業性アレルギー疾患診療ガイドライン2016」作成委員会：職業性アレルギー疾患診療ガイドライン2016．協和企画，東京，2016．
9）日本化学療法学会臨床試験委員会皮内反応検討特別部会：抗菌薬投与に関連するアナフィラキシー対策のガイドライン（2004年版）．日本化学療法学会，2004．

■ 注射の準備

打つ場所の再確認　　　　　　　　介助者がいる場合

太腿の付け根と膝の中央のやや左側に注射する。　　　介助者は太腿の付け根と膝をしっかり固定する。
衣服の上からでも打つことができる。

■ 注射の方法

カバーを開け，ケース　　利き腕でペンの中央を持ち，太腿の前外側に垂直にオレンジ色の先端を「カチッ」
から取り出す　　　　　　青色の安全キャップを外す。と音がするまで強く押しつける。太腿に5秒間押し
　　　　　　　　　　　　　　　　　　　　　　　　　つけ注射する。

介助者が2人の場合

自分で打つ場合

介助者が1人の場合

■ 注射後の対応

エピペン®を太腿から抜き取り，　使用済みのエピペン®をオレンジ　救急車を呼び，医療機関を
カバーが伸びているのを確認する。色のカバー側からケースに戻す。　受診する。

オレンジ色の
ニードルカバー

伸びた状態

カバーが伸びていない場合は，
再度押しつける。

ふたは閉まらない

写真提供：ヴィアトリス製薬株式会社

図19　アドレナリン自己注射薬（エピペン®）の使い方および指導（参考文献1より）
（Anaphylaxis 対策委員会：日本アレルギー学会，2022.）

表45　耳鼻咽喉科専門医への紹介を考慮するケース

- ・治療抵抗性の鼻閉が残存する。
- ・一側の鼻閉が常時存在する。
- ・口呼吸が主体となっている。
- ・適切な治療にもかかわらず鼻漏，くしゃみの改善が認められない。
- ・一側のみに鼻漏が認められる。
- ・鼻出血を繰り返す。
- ・鼻内の痂疲の付着。
- ・嗅覚障害の合併。
- ・膿性鼻漏を長期間にわたり伴う。
- ・頬部腫脹，頬部痛を伴う。
- ・血清特異的IgE検査や皮膚テストによって原因アレルゲンが同定できない。
- ・アレルゲン免疫療法を希望される症例（自院で施行できる場合を除く）。
- ・スギ花粉症に対して抗IgE抗体による治療を希望される症例（自院で施行できる場合を除く）。

（鼻アレルギー診療ガイドライン2024）

Ⅶ・耳鼻咽喉科専門医への紹介（Introduction to otorhinolaryngologists）

　耳鼻咽喉科専門医はアレルギーに関する知識のほかに，正確な鼻腔所見の把握と局所処置，特に手術的治療ができる必要があり，この特質を生かす治療が必要な場合が，紹介のポイントということになる。まず，鼻閉が強い症例や保存的治療によって鼻閉が解消されない場合が考えられる。すなわち，アレルギー性鼻炎の反応の場である下鼻甲介に不可逆的変化を来している場合，および合併症がみられる場合である。下鼻甲介の不可逆的変化は，アレルギー性鼻炎そのものによる場合と点鼻用血管収縮薬の濫用などによる薬物性鼻炎の場合があり，それぞれ病歴の詳細な採取と鼻腔所見から判断できるが，保存的治療，手術的治療のどちらを選択するかの的確な判断が必要になる。手術は下鼻甲介に操作を加えるのが基本であるが，従来行われていた下鼻甲介切除術や下鼻甲介粘膜広範切除術などの入院を必要とする手術の選択が減少し，レーザー手術を代表とする無血の外来手術が選択される頻度が高くなってきた。保存的治療は鼻噴霧用ステロイド薬が選択されることが多く，正しい使用法によって鼻閉に対する効果を期待し得る。

　合併症には，副鼻腔炎，鼻茸，鼻中隔弯曲症，肥厚性鼻炎，腫瘍など多くの疾患があるので，全てのアレルギー性鼻炎の患者に対して，一度は鼻鏡検査を行って，その有無を確認しておく必要がある。鼻茸の合併は，アレルギー性鼻炎単独例よりも気管支喘息をもつ症例に頻度が高く，アスピリン過敏症ではさらに高頻度であるので注意が必要であるが，基本的には副鼻腔炎に併発する病態と考えられる。鼻茸に対しては手術療法が選択されることが多いので，可能な限り早期の紹介が望ましい。

　アレルゲン免疫療法が必要な場合，または患者自身が希望する場合も紹介の対象となる。アレルゲン免疫療法は唯一長期寛解を導き出せる治療法であることから，アレルギー性鼻炎の治癒への誘導は，将来の気管支喘息発症予防につながるものとして注目されている。したがってアレルゲン免疫療法の普及は，長期寛解という観点からばかりでなく予防の見地からも推進す

表46　紹介を受けた耳鼻咽喉科専門医が注意を払うべき主な事項

・鼻中隔弯曲症，鼻弁狭窄，外鼻変形
・鼻腔ポリープ・副鼻腔炎
・鼻腔腫瘍・鼻咽頭腫瘍
・ANCA関連血管炎の合併，IgG₄関連疾患の合併
・アレルギー性鼻炎以外の鼻炎との鑑別

（鼻アレルギー診療ガイドライン2024）

べき治療法である。実際には，その選択は多くの医療機関が施行可能な状況にあるが，やはり副作用の問題から，施行する医療機関は限定的であるのが現状である。

　専門医への紹介のポイントをまとめると，鼻閉が強い場合，保存的治療で改善しない場合，およびSCITが必要な場合と考えられるが，鼻疾患の1つであるアレルギー性鼻炎を診療するに際しては，一度は鼻腔の状態を観察，確認しておく必要がある。

1．耳鼻咽喉科専門医への紹介のタイミング

　アレルギー性鼻炎はcommon diseaseであり，多様な診療科の医師が診療に携わっているが，**表45**のケースでは耳鼻咽喉科専門医への紹介を考慮することが望ましい。

　また，**表45**に基づき，紹介を受けた耳鼻咽喉科専門医は，**表46**などに留意して適切な診療に当たる必要がある。

付表　「鼻アレルギー診療ガイドライン」作成参加者の利益相反状況

参加者（所属）	参加者自身の申告事項			
	①顧問	②株保有・利益	③特許使用料	④講演料
朝子　幹也 （関西医科大学総合医療センター耳鼻咽喉科・頭頸部外科病院教授）				サノフィ，グラクソ・スミスクライン，大鵬薬品工業，杏林製薬（2020，2021，2022）
大久保公裕 （日本医科大学大学院医学研究科頭頸部・感覚器科学分野教授）				鳥居薬品，大鵬薬品工業，田辺三菱製薬，ノバルティスファーマ（2020） 鳥居薬品，大鵬薬品工業，田辺三菱製薬（2021） 鳥居薬品，大鵬薬品工業，田辺三菱製薬，杏林製薬（2022）
太田　伸男 （東北医科薬科大学耳鼻咽喉科学教授）				サノフィ，田辺三菱製薬，杏林製薬（2020，2021，2022）
岡野　光博 （国際医療福祉大学大学院医学研究科耳鼻咽喉科学教授）				ノバルティスファーマ，田辺三菱製薬，大鵬薬品工業（2020） サノフィ，田辺三菱製薬，大鵬薬品工業，Meiji Seikaファルマ，杏林製薬（2021） サノフィ，田辺三菱製薬，大鵬薬品工業（2022）
上條　篤 （埼玉医科大学耳鼻咽喉科・神経耳科客員教授）				ノバルティスファーマ（2020） サノフィ，ノバルティスファーマ（2021） サノフィ（2022）
川島佳代子 （大阪はびきの医療センター耳鼻咽喉・頭頸部外科主任部長）				Meiji Seikaファルマ，サノフィ（2021） 田辺三菱製薬（2022）
後藤　穣 （日本医科大学多摩永山病院　病院教授・耳鼻咽喉科部長）				ノバルティスファーマ，Meiji Seikaファルマ，鳥居薬品，大鵬薬品工業（2020） 杏林製薬，Meiji Seikaファルマ，鳥居薬品，大鵬薬品工業（2021） 杏林製薬，Meiji Seikaファルマ，鳥居薬品（2022）
坂下　雅文 （福井大学医学部附属病院耳鼻咽喉科・頭頸部外科学講師）				サノフィ，杏林製薬，Meiji Seikaファルマ（2022）
櫻井　大樹 （山梨大学大学院総合研究部医学域耳鼻咽喉科・頭頸部外科学教授）				大鵬薬品工業（2021，2022）
寺田　哲也 （大阪医科薬科大学耳鼻咽喉科・頭頸部外科准教授）				サノフィ，杏林製薬，田辺三菱製薬（2020，2021，2022）
中丸　裕爾 （北海道大学大学院医学研究院耳鼻咽喉科・頭頸部外科学教室准教授）				サノフィ（2020，2021，2022）
山田武千代 （秋田大学大学院医学系研究科耳鼻咽喉科・頭頸部外科学教授）				ノバルティスファーマ，田辺三菱製薬，大鵬薬品工業，Meiji Seikaファルマ（2020） サノフィ，田辺三菱製薬，大鵬薬品工業，Meiji Seikaファルマ，杏林製薬（2021） 杏林製薬，田辺三菱製薬，サノフィ，大鵬薬品工業，Meiji Seikaファルマ（2022）
米倉　修二 （千葉大学大学院医学研究院耳鼻咽喉科・頭頸部腫瘍学准教授）				
岸川　禮子 （国立病院機構福岡病院アレルギー科）				
木津　純子 （薬学共用試験センター顧問）				
藤枝　重治 （福井大学医学部耳鼻咽喉科・頭頸部外科学教授）				田辺三菱製薬，サノフィ，杏林製薬（2020） グラクソ・スミスクライン，サノフィ，杏林製薬（2021） 田辺三菱製薬，サノフィ，杏林製薬（2022）

掲載基準：①1つの企業・団体からの報酬額が年間100万円以上，②1つの企業の1年間の利益が年間100万円以上または当該株式の5％以上保有，③1つの特許使用料が年間100万円以上，④1つの企業・団体からの講演料が年間合計50万円以上，⑤1つの企業・団体からの原稿料が年間合計50万円以上，⑥実際に割り当てられた100万円以上，⑦実際に割り当てられた100万円以上，⑧実際に割り当てられた100万円以上，⑨年間5万円以上，⑩1つの企業・団体からの報酬額が年間100万円以上，⑪1つの企業の1年間の利益が100万円以上のもの，あるいは当該株式の5％以上保有，⑫1つの特許使用料が年間100万円以上，⑬当該の長が実質的に使途を決定し得る研究契約金で実際に割り当てられたもの，⑭所属研究機関，病院，学部またはセンター，講座の長が実質的に使途を決定し得る寄附金で実際に割り当てられたもの

（2020年1月1日～2022年12月31日）

					配偶者・一親等親族または収入・財産を共有するものについての申告事項			所属する組織・部門の長に関する申告事項(参加者が組織・部門の長と共同研究の立場にある場合)	
⑤原稿料	⑥研究費	⑦奨学寄附金	⑧寄附講座	⑨その他	⑩顧問	⑪株	⑫特許	⑬研究費	⑭奨学寄附金
鳥居薬品，田辺三菱製薬（2020，2021，2022）									
	サーモフィッシャーダイアグノスティックス(2020)								
	ノバルティスファーマ(2020)								

索引

Web版エビデンス集ほかのご紹介

　鼻アレルギー診療ガイドライン2016年版以降，2024年版でもエビデンス集をはじめとする各コンテンツをデータ更新の上，公開いたします。

　当Webサイト内の各コンテンツをご利用いただくには，インターネットへの接続環境と，下記の推奨ブラウザおよびIDとパスワードが必要になります。

　また，コンテンツ内にあります図表データをご利用いただくには，Microsoft PowerPoint（Windows版は2007以降のバージョン，Macintosh版は2008以降のバージョンを推奨）が必要です。

推奨ブラウザ	
Windows用	Microsoft Edge，Google Chrome，Firefox
Macintosh用	Safari，Google Chrome，Firefox

URL	www.pgmarj.jp
ID	rhinaller2024
パスワード	ybazp7dmcj

▌Webサイトご利用までの手順

① Webブラウザで　www.pgmarj.jp　にアクセスしてください。

② ID入力欄に　rhinaller2024　を入力してください。

③ パスワード入力欄に　ybazp7dmcj　を入力してください。

④ ログインボタンをクリックしてください。

⑤ ログインボタンが「ログイン中」と表示されましたら，各コンテンツをご利用いただけます。

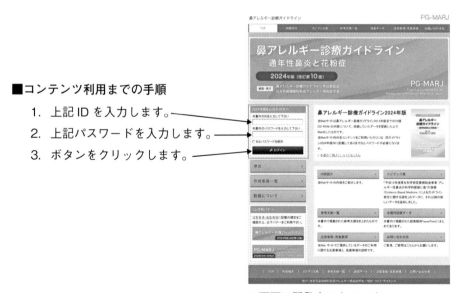

■コンテンツ利用までの手順

1. 上記 ID を入力します。

2. 上記パスワードを入力します。

3. ボタンをクリックします。

※画面は開発中のものです。

▌内容紹介

　当Webサイトは以下の内容で構成されています。なお，見出しをクリックしますと，該当コーナーへジャンプします。

1．エビデンス集

　本書「鼻アレルギー診療ガイドライン2024年版」の制作にあたり，基礎資料の1つである「平成12年度厚

生科学研究費補助金事業：アレルギー性鼻炎の科学的根拠に基づく医療（Evidence Based Medicine）によるガイドライン策定に関する研究」のデータに加え，それ以降の新しいデータを収録しました。

２．参考文献一覧

本書では，目次の項目ごとに掲載しました文献を，当Webサイトでは一括してまとめました。

３．図表データ

本書内で使われている図表類の主なものを，Microsoft PowerPointのデータとして，二次的にご利用できるようにしました。図表データはPower Point 2016形式です。ご利用いただくには，Microsoft PowerPoint（Windows版は2007以降のバージョン，Macintosh版は2008以降のバージョンを推奨）が必要です。ただし，バージョンによってはレイアウトが崩れる可能性がありますので，ご了承ください。

ご利用にあたっては，著作権の問題が発生いたしますので，「注意事項・免責事項」をご一読ください。

４．注意事項・免責事項

注意事項：当Webサイトをご利用いただくにあたって，推奨動作環境など注意事項をまとめています。また，Webサイト内には様々なデータが掲載されていますが，それらをご利用いただく際の，注意すべき事柄も記載されています。特にデータを二次利用する場合などでは，著作権などの問題が関わりますので，ぜひご一読ください。

免責事項：当Webサイトをご利用にあたって，責任の範囲をまとめています。併せてご一読ください。

５．お問い合わせ先

ご質問，ご意見等の連絡先です。ただし，お使いのWebブラウザやオペレーティング・システム（Windows，MacOSなど），Microsoft PowerPointの使用方法に関するご質問・ご意見は，各ソフトウエア会社のユーザーサポート係へ，またハードウエアに関しましては，各ハードウエアメーカーのサービス窓口等にお問い合わせください。

６．TOP画面左側の列

１）序文

本書2024年版の序文を掲載しています。

２）作成委員一覧

本書2024年版の作成委員一覧を掲載しています。

３）転載について

本書内図表類の転載について掲載しています。

４）リンク用バナー

リンク用バナーを２種類ご用意しました。注意事項・免責事項に記載の規定をご確認の上，ご利用ください。

▌注意事項

当Webサイト内のデータやシステムは，予告なく変更する場合があります。

当Webサイトで提供されている各種情報について，正確な情報を掲載するように努めておりますが，その正確性を保証するものではありません。各自の責任とご判断のもとにご利用下さい。

当Webサイト内のデータご利用の結果については，ご自身の責任とさせていただきます。

鼻アレルギー診療ガイドライン—通年性鼻炎と花粉症—
2024年版（改訂第10版）

1993年 6 月26日	第 1 版第 1 刷発行
1995年 5 月25日	改訂第 2 版第 1 刷発行
1999年 5 月20日	改訂第 3 版第 1 刷発行
2002年 9 月15日	改訂第 4 版第 1 刷発行
2005年10月20日	改訂第 5 版第 1 刷発行
2008年11月28日	改訂第 6 版第 1 刷発行
2013年 1 月15日	改訂第 7 版第 1 刷発行
2015年12月15日	改訂第 8 版第 1 刷発行
2020年 7 月10日	改訂第 9 版第 1 刷発行
2024年 3 月31日	改訂第10版第 1 刷発行

編　者　　日本耳鼻咽喉科免疫アレルギー感染症学会
　　　　　鼻アレルギー診療ガイドライン作成委員会

発行者　　福村　　直樹
発行所　　金原出版株式会社

　　　　　〒113-0034　東京都文京区湯島 2 -31-14
　　　　　電話　編集 (03)3811-7162
　　　　　　　　営業 (03)3811-7184
　　　　　FAX　　　(03)3813-0288　　©日本耳鼻咽喉科免疫アレルギー感染症学会，2024
　　　　　振替口座　00120-4-151494　　　　　　　　　　　検印省略
　　　　　http://www.kanehara-shuppan.co.jp/　　　　　　　*Printed in Japan*

ISBN 978-4-307-37140-7　　　制作／株式会社ライフ・サイエンス　印刷・製本／シナノ印刷

WEB アンケートにご協力ください

読者アンケート（所要時間約3分）にご協力いただいた方の中から
抽選で毎月10名の方に図書カード1,000円分を贈呈いたします。
アンケート回答はこちらから➡
https://forms.gle/U6Pa7JzJGfrvaDof8